Hirddydd Haf

MAIR WYNN HUGHES

Cyhoeddwyd dan nawdd Cynllun Llyfrau Darllen
Cyd-bwyllgor Addysg Cymru

Gwasg Gomer
1981

Argraffiad Cyntaf - Awst 1981
Ail Argraffiad - Tachwedd 1982

ISBN 0 85088 535 3

Argraffwyd gan:
J. D. Lewis a'i Feibion Cyf., Gwasg Gomer, Llandysul, Dyfed

Gwobrwywyd dwy bennod gyntaf y nofel hon ynghyd ag amlinelliad ohoni yn Eisteddfod Genedlaethol Caernarfon. Fe'i cwblhawyd trwy gomisiwn a roddwyd gan Gyngor yr Eisteddfod Genedlaethol â chymorth Cyngor Celfyddydau Cymru ac fe'i cyhoeddir trwy ganiatâd caredig Llys yr Eisteddfod Genedlaethol.

Hirddydd Haf

"Anfonwch hi i rywle'n ddigon pell o Gaer 'ma, Mrs Rees, dyna'r cyngor gora' fedra i'i roi ichi. Ychydig o wynt y wlad i ddod â lliw i'r gruddiau 'na ac awch at fywyd iddi unwaith eto, a mwy na dim i fod yn gymorth iddi anghofio'r misoedd diwethaf 'ma."

Trodd Mererid ei phen tua'r wal ac fel y gwnaeth ganwaith o'r blaen, caeodd ei chlustiau i'r lleisiau isel a ddeuai o'r coridor. Treiglodd y dagrau araf, llosg o'i llygaid caeëdig a syrthiodd eto i'r agendor arswydus oedd rhyngddi a'i rhieni a'i chyfeillion, a'r byd i gyd yn gyfan. Anfonwch hi yma, anfonwch hi draw, o'r naill ysbyty i'r llall i'w thrwsio y gore a fedrent, fraich a choes a wyneb—ia wyneb! Llithrodd ei meddwl fel llysywen o'i gafael a dechreuodd ail-fyw'r siwrnai gyda'i thad o dŷ ei thaid a'i nain, y diwrnod hwnnw wythnosau'n ôl bellach.

"Brysia, Mererid, mae'n amser inni gychwyn adra neu mi fydd dy fam yn methu dallt ble rydyn ni."

A'i llais hithau.

"O'r gorau, Dad. Rydw i'n dwad rŵan. Ta ta, Taid, mi ddown ni yma eto'r wythnos nesa. Ta ta rŵan, Nain."

Cofiodd ddringo i'r sedd flaen a'i meddwl ar y gêm hoci yn yr ysgol drannoeth a'r disco yn y clwb gyda'r nos. Clywodd eiriau ei thad fel y rhuthrai'r car am y gornel—

"Clyma'r strapen 'na, Mererid," ac fel y plygai i ufuddhau, y foment honno maluriwyd ei byd tawel, diogel, hapus mewn cartref ac ysgol, yn hunllef o sgrechiadau brecio a sglefrian teiars, o daranu metel ar fetel a champau chwerthinllyd ei doli glwt o gorff fel yr hyrddiwyd hi trwy'r ffenestr i ryw wagle niwlog, yno i grwydro'n aflonydd ar afon boenus am ddyddiau di-ben-draw, ac i glustfeinio ar leisiau dieithr, weithiau'n agos, weithiau 'mhell a'u neges atgas.

Dro ar ôl tro, yr un neges ofnadwy yn bicell i'w hymennydd effro. Na, chwarae teg iddyn nhw, wyddai'r lleisiau mo hynny. Mewn côma roedd hi yntê? Hen gorff gwelw, disymud o dan y blancedi, gyda'i bibellau a'i boteli'n rhan hanfodol ohono bellach, yn union fel yr arogl diheintydd a orweddai mor dreiddgar ar ei chroen a'i gwallt.

Hen gorffyn llipa'n anymwybodol o'r byd a'i betha', meddan nhw. Na, na, rydw i'n clywed pob gair, yn *deall* pob gair. Rydw i, Mererid Rees, yma'n y gwely 'ma. Nid rhywbeth ichi'i drafod a'i bwyso fel talpyn o gig ar slaben y cigydd ydw i. Rydw i'n gnawd ac esgyrn; mae llifeiriant gwaed yn fy ngwythiennau a meddwl effro rywle yn fy mhenglog i. *Ond dydw i ddim am ddeffro.*

Dwylo anweledig eto, dŵr ar gorff a breichiau, aildrefnu'r flanced, cyffyrddiad oeraidd y stethosgob. Gadewch lonydd imi. Dydw i ddim am groesi'r agendor i'ch byd chi fyth eto. Dydw i ddim am fod yn rhan o'r Mererid Rees honno gyda'i hwyneb hagr, hyll y soniai'r lleisiau amdani.

Llais yn codi a gostwng wrth ei chlust.

''Wyt ti'n cofio'r hwyl gwersyllu, Mererid? Y dyddiau heulog rheiny ar lan y môr gyda'r nos? Dyna hwyl gawsom ni, yntê? Rhaid iti frysio gwella, Mererid, inni gael gwersyllu eto.''

Distawrwydd.

"O, Doctor bach, tydi hi'n cymryd dim sylw."

Wylo? Ei mam oedd yn wylo fel'na, mor dor-calonnus a diobaith uwch ei phen. Biti, yntê? Ond doedd fawr o wahaniaeth ganddi rywsut. Roedd y llonyddwch corfforol a'r crwydro meddyliol yn bleser bron iddi bellach.

"Daliwch ati, Mrs Rees. Does wybod faint ma' hi'n 'i glywed, ychi. Rhywbeth i annog y meddwl sydd 'i angen mewn achos fel hyn."

Rhuthr y llifeiriant eto i'w chludo i ryw fangre bell. Trwy ddŵr a thân, nefoedd ac uffern, goleuni a thywyllwch fe grwydrodd fy enaid colledig. Dyna beth rhyfedd! Crwydro? Ond sefydlog yma 'roedd hi, yntê? Hen gorff llonydd a'i friwiau hagr yn ennyn tosturi pawb a'i gwelai. Na, doedd hi ddim am ddeffro. Crafangiodd ei meddwl yn ôl i ddiogelwch ei grwydro. Mor araf a didramgwydd oedd cerddediad oriau yn y gwagle hwn rhwng byw a marw.

Bwrlwm plant yn yr ysgol. Canu, chwarae, lleisiau ei ffrindiau. Yma? Yma yn y gwagle oedd rywsut yn llifeiriant cythryblus a gludai gorff ac enaid fel pluen ar dosturi'r lli. Rhoes ei hunan i'r llifeiriant. Diflannodd y lleisiau'n atgof darfodedig, atgof nad oedd wahaniaeth ganddi gefnu arno.

Curiad pendant y disco. Arafodd y llifeiriant a'i gadael yn siglo'n fympwyol ar donnau tawel. Pa gân oedd hi hefyd? Dechreuodd rhyw forthwyl bychan gadw amser yng nghrombil ei meddwl, i guro un, dau, tri, pedwar, un, dau, tri, pedwar. Roedd hi fel cocyn hitio gwyllt, un i'r dde, dau i'r chwith, tri yn ôl, pedwar ymlaen. Ymlaen? Meddiannodd y llifeiriant hi drachefn.

9

Dydd? Nos? Atsain y llestri, y lleisiau, y traed; swish swish y dillad startslyd. Fe giliodd ei phoen ers amser bellach. Ond doedd hi ddim am ddeffro. *Nac oedd.*

"Mererid, dyma fi wedi dod̄ â thusw o flodau'r gwanwyn iti o'r ardd. Cennin Pedr a thiwlips cochion. Edrych mor dlws ydyn nhw, ngenath i. Wyt ti'n cofio helpu dy dad yn yr ardd a chystadlu yn y sioe flodau? Mi gei di eistedd yn yr ardd eto'n fuan. Eistedd ar y lawnt ac edrych ar y blodau unwaith eto, ysti."

Arafodd y llifeiriant a'i cludai mor gyfforddus. Roedd fel ymestyn elastig, fel y teclyn berwi ŵy hwnnw a hithau'n dywod mân yn prysur redeg o un llestr i'r llall. Tynnwyd hi o'r dyfnder niwlog, o lifeiriant yr afon lle crwydrai mor fympwyol. Yn ôl, ôl. Na. Na-a-aaaa! Mam!

Agorodd ei llygaid. Golau annioddefol. Sŵn. Teimladau. Rhuthrodd y byd i'w gorlethu. Bwrlwm. Prysurdeb. *Goleuni.* O, diffoddwch y goleuni. Mae popeth yn ormod imi. Ysgubwyd hi'n ddiolchgar ymaith i'r llifeiriant unwaith eto.

"*Mererid!* O, diolch i Dduw. *Doctor!*"

Traed prysur y nyrs, llais dwfn y meddyg, ei ddwylo ar ei llygaid. Peidiwch â'm tynnu'n ôl. Na, na-a.

"Ydi hi'n dod ati'i hun, Doctor? Fe agorodd ei llygaid am funud, do wir."

Ei mam yn gafael yn dyner yn ei llaw.

"Mererid, ngenath bach i. Agor dy lygaid eto, nghariad i."

Llais tawel y meddyg.

"*Mae* yna wellhad yn sicr, Mrs Rees, ac ychydig o ymateb hefyd. Ond cofiwch chi, busnes hir, ansicr ydi o. Rhaid rhoi amser iddi."

"O, Mererid bach, ceisia wella, ngenath i. Mae pawb yn hiraethu amdanat ti. Taid a Nain, dy dad a minna', a dy gyfeillion i gyd o'r ysgol yn holi amdanat. Edrych ar y cardiau yma oddi wrthynt. Clyw eu lleisiau."

Bwrlwm ysgol eilwaith. Canu, lleisiau, chwerthin. Tywod mân y teclyn berwi ŵy eto a hithau'n llifo'n ôl rywsut i'r corffyn llipa ar y gwely. Darfu crwydro a hithau'n garcharor bellach yn y blisgen ddi-lun ar y gwely. Ymgripio araf, ddydd ar ôl dydd, at fywyd unwaith eto. Pam ei gorfodi'n ôl a hithau mor hapus hwnt ac yma ar ruthr y llifeiriant? Bywyd atgas a thosturi. Pawb yn wên a siarad ffals. Gwella. Gwella. Poen y grafftio a llonyddwch y disgwyl. Gobeithion, o'r gobeithion. Ydi o'n well? Y drych. Curiad ei chalon yn boddi'i synhwyrau. Ydi o'n well? Ydi o, Mam?

Siom, o'r fath siom. Celwydd oedd y cyfan. Mererid Rees hyll, aflan, yn alltud mwyach o'r chwerthin iach, y chwarae a chwmni diddan ei ffrindiau. Anghofia nhw, Mererid Rees. Llanwyd hi â surni, a gwrthryfelodd yn erbyn y drefn a ddifethodd bopeth. Trefn Duw, meddan nhw. Ia, trefn heb ronyn o dosturi a'i taflodd hi ymaith fel llestr nad oedd defnydd iddo mwyach.

Disgynnodd y drych yn deilchion. Trodd tua'r wal a gwrthod mam, a theulu, a ffrindiau. Gwrthod y byd i gyd. Pwy oedd isio gwella i wynebu'r hyn oedd o'i blaen?

Llais tyner ei mam eto.

"Wel, Mererid, ma'r meddyg yn dweud y cei di ddod adra fory. Rwyt ti wedi gorffen pob triniaeth rŵan, a dim o dy flaen ond gwella'n llwyr, ac mae gennyt y gwyliau i wneud hynny."

Gwella'n llwyr a fy wyneb fel y mae? O ydi, mae nghoes i'n well, a'm braich yn well. Ond pam na wnaiff rhywun sôn am fy wyneb? Ydi hwnnw'n well? Na, feiddiwch chi ddim dweud y gwir. Ddaw o byth yn well.

"Fuaset ti'n hoffi mynd i aros at Modryb Nel am ychydig, Mererid? Mi fyddi wrth dy fodd yno bob amser."

At Modryb Nel ac Wncl Dei? Ymhell o ysbyty a chyfeillion, oddi wrth ei mam a'i thad a'u pryder parhaus? Ia, o ia. Teimlai fel rhedeg yno'r funud yma. Ond fedrai hi ddim rhedeg, yn na fedrai? Dim ond symud yn drwsgl â baglau. Ond fe ymgripiai yno os oedd raid.

Cofiai ddyddiau ieuenctid a'i phleser hithau wrth gyffwrdd â malwen a'i gwylio'n dychwelyd i'w chragen. Dyna'n union fel y teimlai hithau. Malwen a ddyheai am gilio i ddiogelwch ac unigrwydd, i gefnu ar y byd ffals a magu'r atgasedd a fyrlymai o'i mewn.

Bron nad oedd hi'n mwynhau'r cyfan. Mwynhau surni'r chwerthin a dyfai ynddi wrth wrando ar eu geiriau ffals. Mi fyddi'n siŵr o wella. Amynedd i ddisgwyl i Natur weithio. Ydyn nhw'n meddwl mai ffŵl ydw i? Fy mod i'n methu gweld tu ôl i'w geiriau nhw? Os ydw i'n gloff fy nghorff, dydw i ddim yn gloff fy meddwl.

"Mi ffonia i heno," meddai Mrs Rees. "Rwyt ti

bron â bod yn barod i daflu'r bagla' 'na rŵan, a chei grwydro fel y mynni ar y rhos.''

Gwenodd i guddio'i phryder.

''Ac mi ddown ninnau i lawr i dy weld yn reit amal, ysti.''

Wedi iddi fynd, syllodd Mererid ar y nenfwd uwchben. O ran hynny, doedd fawr o ots i ble yr âi. Doedd angen neb na dim arni ond llonyddwch i'w meddyliau chwerw, a thawelwch i orwedd, heb gydnabod cariad ei mam a'i thad na thosturi pawb a'i gwelai.

Ceisiodd sefydlu ei meddwl ar ddim yn y byd, ia dim, *dim*; brwydrodd i arllwys popeth ohono, ond er ei gwaethaf llithrodd rhyw leidr bach o feddwl ysgafn, slei i'r gwagle a orfodai tu mewn i'w phen, a chlywodd eto y lleisiau ''ei hwyneb, welsoch chi'r olwg ar ei hwyneb hi?''

Caeodd ei llygaid.

''O, Mam bach, ddaw o byth yn well?''

Nid oedd ateb i'w chwestiwn a chiliodd drachefn i'w chragen feddyliol lle troellai darluniau am ysgol a chartref a'i bywyd didaro gynt, ac yn y canol, ei hwyneb hagr hi ei hun, Mererid Rees.

Syllai Mererid yn ddiflas ar lesni'r wlad a fflachiai heibio'r ffenestr fel y teithiai'r modur y milltiroedd blin tua'r fferm. Pa ots i ble yr âi? Doedd dim ond bywyd diflas heb iotyn o bwrpas yn perthyn iddo yn ei haros bellach. Ymgollodd mewn môr o hunan-dosturi a threiglodd deigryn araf fel llawer o'i flaen i lawr ei grudd.

O! roedd hi wedi blino. Wedi blino ar ysbyty a thriniaethau, ar ribidirês o ymwelwyr a'u tosturi annioddefol, a mwy na dim roedd hi wedi blino ar ofal a phryder ei mam. Roedd hi fel tôn gron a'r nodwydd yn ei hunfan. Gadewch lonydd imi, da chi. Ffws a phryder, gwylio pob symudiad nes ymestyn ei nerfau brau hyd at sgrechian bron.

"Dos am dro, Mererid. Eistedd yn yr haul am ychydig, Mererid. Dos am seibiant bach, Mererid."

Cariad a charedigrwydd a'i gorlethai, a'i gwnâi'n garcharor fel pryfetyn mewn gwe. Caeodd ei llygaid a disgynnodd eto i'r un hen anobaith. Doedd dim pwrpas i ddim bellach a hithau'n destun siarad a thosturi. Tosturi? Teimlai ef fel ton yn ymestyn tuag ati oddi wrth bawb a'i gwelai. Y geiriau llon, y cip-edrychiad sydyn i'w hwyneb. Byrlymodd y surni i'w mynwes. Doedden nhw ddim am edrych eilwaith, yn nac oedden?

Pam y fi? Be' wnes i erioed i ennyn y fath gosb? Wnes i ddim tro gwael â neb.

Trodd y modur i'r ffordd fechan, gul a arweiniai i'r fferm. Synhwyrodd Mererid lygad ei mam arni a thynhaodd ei nerfau i ddisgwyl y geiriau y gwyddai eu bod yn dod.

"Wyt ti wedi blino, Mererid? Sut wyt ti'n teimlo rŵan?"

Peidiwch â holi, ddynes, gwaeddodd ei meddyliau. Sut ydw i'n teimlo? Cwestiwn penbwl a'm bywyd i'n deilchion.

"O, Mam," ochneidiodd. "Peidiwch â ffwsio, da chi."

Caeodd ei llygaid yn wgus. Ar yr un pryd trawodd

edifeirwch hi. Sut y gallai hi siarad fel'na gyda'i mam a theimlo atgasedd tuag ati? Ond nid y hi yn unig. O, Mam, mae'n ddrwg gen i. Fedra i ddim f'atal fy hunan. Rhaid imi gael taro'n ôl rywsut, at rywun, rhywbeth.

Edrychodd ei mam yn dorcalonnus ar ei gŵr a chrynodd ei gwefus. Gwasgodd yntau'i llaw mewn eiliad o gynhaliaeth.

"Dyma ni wedi cyrraedd," meddai. "Os mai llonydd wyt ti'i angen, Mererid, wel, mae o ar gael yma iti. Does gan Modryb Nel ac Wncl Les fawr o amser i ffwsio tros neb."

Brathodd ei dafod rhag ychwanegu rhagor. Sut oedd gwahaniaethu rhwng mam a merch a'r ddwy yn ennyn tosturi fel ei gilydd. Y naill â'i briw corfforol a meddyliol a'r llall yn estyn cariad mam yn ofer. Ochneidiodd ac arafu ym muarth y fferm.

Brysiodd Nel Rowlands i lawr llwybr yr ardd i'w chroesawu.

"Mererid bach, dyna falch ydw i o dy weld di. Diar, rwyt ti wedi tyfu yn yr ysbyty 'na. Mi fydd yn rhaid i Wncl Les roi'r gath ar dy ben di, bydd wir. Dowch i mewn ych tri. Ma' paned ar y bwrdd a'r tecell yn berwi. Dyn, ma'r hogan 'ma wedi tyfu."

Gwyliodd Mererid yn symud yn araf at y drws.

"Fyddi di fawr o dro cyn taflu'r hen fagla' 'na'n gyfan gwbl, mi wela. Rwyt ti'n symud yn well o lawer nag oeddwn i'n 'i feddwl, ysti."

Eisteddodd Mererid yn ddiolchgar ar yr hen gadair siglo yn y gegin. Rhoes ochenaid o ollyngdod wrth feddwl iddi gyrraedd hafan ddirodres ffermdy Modryb Nel ac Wncl Les, lle nad oedd angen rhoi cyfrif am bob symudiad, ond lle y câi lonyddwch i ymuno neu gilio fel y mynnai o brysurdeb y bywyd o'i chwmpas. Dim ysbyty, na meddyg, na therapydd am wythnosau di-ben-draw, diolchodd.

"Mi aiff dy fam a finna' â'r petha' i'r llofft," meddai ei modryb. "Eistedd di yna i ddadflino tipyn, ngenath i."

Aeth y ddwy i fyny'r grisiau.

"Digon rhyw bethma ydw i'n 'i gweld hi, Luned," meddai Nel Rowlands.

Ochneidiodd Mrs Rees.

"Does dim rhyfedd, Nel bach, a hitha' wedi bod trwy ffasiwn driniaetha'. Ond diolch byth, ma'r gwaetha trosodd rŵan. Yr wyneb 'na sy'n poeni mwya arna i, ond ma'r meddyg yn sicrhau na fydd yna ond craith fechan, ddisylw 'mhen amser. A rhaid cyfadda, mae o'n well yn barod. Ma'r meddygon 'ma'n gwneud gwyrthia' y dyddia' yma, ysti."

Ochneidiodd a symudodd at y ffenestr i guddio'i dagrau.

"Dydi hi ddim mo'r un hogan, Nel bach. Mae hi'n casáu pawb a phopeth, ei mam a'i thad hefyd."

Palfalodd am ei hances fel y siglwyd hi gan igiadau sydyn. Brysiodd Nel Rowlands i'w chwmpasu â'i breichiau cryfion.

"Paid â digalonni, Luned. Cofia di, cafodd hi ddamwain erchyll a niwed ofnadwy i'w hwyneb. Peth mawr ydi hynny i eneth, cofia. Ddaw hi ddim tros y sioc ar unwaith. Ond, aros di, mi gaiff lond bol o fwyd iachus a phob gofal fedrwn ni yn dau ei roi iddi. Buan iawn y daw hi ati'i hun efo aer y rhos 'ma. Fydd hi ddim yr un un erbyn diwedd y gwylia', gei di weld."

Sychodd Luned Rees ei dagrau a cheisio gwenu trwy'r cyfan.

"Efallai dy fod ti'n iawn, Nel. Ond yr encilio 'ma sy'n fy mhoeni i. Wyddost ti, fedr hi ddim diodda cyfarfod na siarad â neb y dyddiau yma. Mi fydda i'n digalonni'n llwyr weithiau. Roeddwn i'n gobeithio wedi iddi gael y grafftio yna a gwella digon i ddod adra, y buasai hi'n dod o'i chragen tipyn."

"Llonydd ma'r hogan 'i angen," meddai Nel Rowlands, "a dyna gaiff hi yma. Llonydd i wneud fel fyd a fynno hi o fore tan nos. Paid â phoeni, Luned, fe ddaw popeth i'w le eto, ysti."

I lawr yn y gegin pwysodd Mererid ei phen yn flinedig ar gefn y gadair. Curai llu o forthwylion bychain tu ôl i'w llygaid ond er hynny, teimlai'i hunan yn ymlacio. Mwynhaodd y llonyddwch o flaen y tân. Llithrodd sgwrs ffermio ei thad a'i hewythr heibio'i chlustiau a phendwmpiodd yng ngwres y fflamau.

Eisteddodd yno'n rhan ac eto nid yn rhan o'r sgwrsio o'i chwmpas. Llonyddwch. Teimlai'n sydyn mai dyma'i hunig ddymuniad am y gweddill o'i hoes.

"Wel, Mererid, rydyn ni am gychwyn rŵan. Gwna dy orau i wella, ngenath i. Mi fyddwn ni'n meddwl amdanat ti."

Plygodd ei mam i'w chofleidio. Mam bach, doeddwn i ddim isio bod yn gas. Wn i ddim pam. Maddeuwch imi, Mam. Edrychodd yn dorcalonnus i'w hwyneb. Wn i ddim pam.

Ond nid oedd angen dweud gair. Roedd ei mam yn deall y cyfan on'd oedd? Gwenodd yn ôl arni trwy ei dagrau.

"Ta ta, Mam. Ta ta, Dad."

Cyn mynd i'w gwely y noson honno, eisteddodd Mererid wrth y ffenestr agored yn y llofft. Mor dawel oedd pobman.

Treiddiodd y tawelwch fel balm i'w henaid, ac am y tro cyntaf er y ddamwain, teimlodd ychydig o ysgafnhad i'w meddwl. Syllodd i'r gorwel a chanfod cysgod du Plas Goronwy, hen wyliwr cadarn ar lonyddwch y rhos. Ie, roedd yntau'n hiraethu am yr amser a fu. Troi'r cloc yn ôl a wnâi'r ddau pe gallent; yr hen blas i'r dyddiau prysur gynt, a hithau i'r misoedd hapus cyn y ddamwain.

Dyna ryfedd na cherddodd hi erioed at yr hen blas a hithau wedi treulio cymaint o amser gyda'i modryb a'i hewythr. Syllodd yn freuddwydiol arno. Ymgollodd mewn teimlad o dynfa swynol tuag ato, o hir ddisgwyl ac o groesawu'n falch o'r diwedd. Gyda'r teimlad, daeth ton o ddyhead am eiliad, cymhelliad i droedio'n falch at gadernid ei furiau, i fynd i mewn a chael ei chroesawu i'w galon fawr.

"Croeso'n ôl, merch i."

Glywodd hi'r geiriau o ddifri? Rhwbiodd ei llygaid ac ysgydwodd ei phen fel pe bai'n deffro o drwmgwsg. Wedi blino rydw i, meddyliodd wrthi'i hun a throdd, fel pob noson yn ddiweddar, at y drych.

Astudiodd ei hunan ynddo am funudau hir, ei gwallt du cyrliog a'i llygaid brown, ei chroen y bu hi mor falch ohono ymysg ei ffrindiau, heb sbotyn i amharu ar ei lendid. Ond yn awr? Dilynodd â'i bys y graith unionsyth o'i thrwyn i'w thalcen. Roedd ei harddwch wedi mynd am byth.

Suddodd yn ôl i ddigalondid yr wythnosau gynt;

gorweddodd a'i meddwl unwaith eto yn rhygnu ar y ddamwain, a'r dyddiau hir yn yr ysbyty a'i dilynodd.

———————

Deffrodd i sŵn prysurdeb ben bore y fferm, i glochdar yr hen geiliog ac i alwad "dryboi, dryboi," Wncl Les ar y gwartheg i'w godro a chyfarthiad penderfynol Taff wrth eu sodlau. Daeth sŵn llestri o'r gegin ac arogl bacwn ac ŵy yn treiddio i fyny'r grisiau ac i'r llofft. Wedi wythnosau hir o gilio oddi wrth bawb a phopeth, teimlodd Mererid ysgafnder meddwl am y tro cyntaf. Cododd, a cherddodd dan afael yn y dodrefn, at y ffenestr agored.

"Bore da, Wncl Les."

"Bore pawb pan godo, mechan i," oedd ateb ei hewythr wrth iddo ddiflannu am y beudy.

Safodd Mererid â'i phwys ar sil y ffenestr. O! dyna falch oedd hi o fod yn yr Hafod. Crwydrodd ei llygaid tros y rhos ac at yr hen blasty. Safai yno'n torheulo'n dawel yn haul cynta'r bore, ei ffenestri lluosog yn disgleirio'n siriol a'i waliau aeddfed yn ymdoddi i'r llethrau grugog o'i flaen. Teimlodd Mererid ei swyn eto, y gwahoddiad a'r parodrwydd i'w derbyn ato.

"Efalla' yr a i yno ryw ddiwrnod," addawodd iddi'i hun cyn gwisgo ac ymlwybro'n araf i lawr y grisiau.

"Wel, wyt ti wedi codi, mechan i?" meddai Modryb Nel. "Wnest ti gysgu? Do, rwy'n siŵr, yn aer y rhos 'ma. Mae o fel clorofform, ysti. Gymeri di facwn ac ŵy i frecwast?"

Cyn cael ateb, trodd Nel Rowlands ei chorff crwn, cyfforddus at y stof a throi'r bacwn yn y badell.

"Eistedda di wrth y bwrdd i gael blaen ar dy Wncl Les. Does fawr ddim yn sefyll o'i flaen o, ysti. Corff bach a stumog fawr fydda i'n 'i ddweud.''

Llithrodd yr wyau'n gelfydd o'r badell yn union fel y daeth ei gŵr i'r gegin.

Ymlaciodd Mererid trwyddi yn awyrgylch y bwrdd brecwast yng nghegin yr Hafod. Dyna ollyngdod oedd dianc oddi wrth lygaid poenus ei mam, a'r cariad gofidus a oedd yn garchar a ferwinai'i nerfau brau.

Doedd dim amser yn yr Hafod i wylio pob symudiad o'i heiddo, i fusnesu ac annog tameidiau rhwng gwefusau anewyllysgar. Diolch am hynny. Gwrandawodd gyda phleser ar sgwrs ei modryb a'i hewythr.

"Rhaid imi drwsio'r bwlch 'na rhyngddon ni a'r Fedw heddiw, Nel. Digon mawr i rowlio berfa trwodd, cofia. Dydi wiw imi symud y bustach du heglog 'na'n agos i'r lle cyn gosod weiren bigog, neu mi fydd trwodd fel Wil Postman ar fore Sadwrn—tân yn wadnau'i draed o! Wela i ddim ond blew ei gynffon o os aiff o i'r Fedw unwaith. On'd ydi'r lle yn llawr maes ers pan ddaeth y teulu newydd 'na yno? Wn i ddim lle ma' pobl y dre ma'n cael eu syniada', wir. Y nonsans hunan-gynhaliol 'ma. Gafr, a mochyn, a buwch! Dydi peth fel'na ddim yn ffarmio.''

"Wel, ma'r bobl yn credu yn yr hyn ma'n nhw'n 'i wneud, Les bach. A rhaid iti gyfadda, maen nhw wrthi reit dda hefyd. Roedd ganddyn nhw fresych digon o ryfeddod yn y cae tros lôn yna.''

"Ia, *roedd* ydi'r gair, yntê, Nel.''

Chwifiodd Les Rowlands ei gyllell facwn uwch y bocs creision ŷd.

"*Roedd* o'n gnwd ardderchog nes y cafodd y geifr felltith 'na afael arno fo. Dyna ydw i'n 'i ddweud, Nel, tydi pobl ddim yn gwybod be' maen nhw'n 'i wneud. Does ganddyn nhw ddim profiad o ffarmio—disgwyl cael pob peth ar blât. Duw a ŵyr o ble maen nhw'n disgwyl cael elw. Disgwyl iddo fo ddisgyn fel manna o'r nefoedd, am wn i.''

"Bwyta di dy frecwast, Les Rowlands, a phaid â deddfu am fusnes pobl eraill," oedd dyfarniad Nel Rowlands.

Ac ychwanegodd yn ddiniwed ddigon.

"Prun bynnag, ma' ffarmwr yr Hafod yn cynghori tipyn arnyn nhw, a chyda chymorth arbenigwr fel y fo, buan iawn y bydd eu traed nhw ar y llwybr iawn, yntê?"

Edrychodd Les Rowlands ar ei wraig am eiliad cyn gwenu a chydnabod,

"Rwyt ti bob amsar yn taro deuddeg, Nel Rowlands. Rhaid imi gau fy ngheg yn y tŷ 'ma, bydd wir.''

Rhoes winc ar Mererid.

"Wn i ddim sut y gwnes i'r fath gamgymeriad â phriodi merch mor ffraeth. Dydw i ddim yn cael fy nhraed oddi tana yn y lle 'ma, weldi. Paned arall o de cyn imi fynd, Nel bach.''

Llyncodd hi'n frysiog a chan afael yn ei gap, agorodd y drws.

"Mi fydda i yn cae Bedol os bydd rywun fy isio i,'' meddai.

Gorweddai Taff yn dorchen gron ar stepan y drws,

ac wrth ei weld yn agor, daeth i mewn heibio'i feistr a sleifio'n syth o dan y bwrdd. Rhoes ei drwyn ar lin Mererid ac edrych ym myw ei llygaid yn erfyniol. Croen bacwn? Crystyn bach?

"A phaid ti â meddwl, Taff, nad oes gen i lygad yn fy mhen chwaith," dwrdiodd Nel Rowlands. "Rwyt ti'n gwybod yn iawn ma' allan ma' dy le di."

Rhoddodd Taff ysgytwad i'w gynffon i gydnabod ei geiriau a dychwelyd ei ben, unwaith eto, i orffwys ar lin Mererid.

"Mae o'n gwybod yn iawn ble caiff o damed. Wn i ddim pam y gadewaist ti iddo fo ddod i'r gegin 'ma, na wn i wir, Les," meddai wrth ei gŵr.

"Mae dy galon di mor feddal â neb," oedd yr ateb. "Dydi'r ci yn stelcian yn y gegin 'ma bob tro y bydda i 'i angen o?"

Trodd at Mererid.

"Be' ddywedais i? Tafod ffraeth, yntê?"

Gwrandawodd Mererid ar y gwrthdaro brathog, chwareus a rhoes ei llaw i fwytho Taff o dan y bwrdd. Clywodd ei lyfiad diolchgar ar gefn ei llaw. Ffrind triw ei galon, na faliai am graith na hagrwch wyneb. Casglodd düwch ei meddyliau parhaus o'i hamgylch eto, a chiliodd i warchodfa ei chragen gaeëdig, y gragen honno a wrthodai gyfeillgarwch a chariad, ac a oedd yn wrthglawdd rhyngddi a'r byd tosturiol o'i hamgylch.

Tosturi? Doedd arni ddim angen tosturi neb. Llonydd, dyna oedd ei dymuniad. Llonydd i ymguddio yng ngwead ei meddyliau unig. Trowch eich cefnau ar Mererid Rees. Gadewch lonydd iddi. Mae hi'n berffaith fodlon heb neb yn y byd. Dydw i ddim isio'ch lleisiau ffôl o'm hamgylch, cegau yn plygu a phlethu yn yr un ystumiau anonest.

"Mae o'n well o lawer. Craith fechan yw hi. Powdwr a phaent a wnaiff neb sylwi."

Rhagrithio, dyna oedden nhw'n 'i wneud. Rhagrith a thosturi'n gymysgfa ffiaidd na allai ei dioddef mwy. Mi fedra i wneud hebddoch chi. Byw fy mywyd heb yr un ohonoch chi. Pam y digwyddodd hyn i mi? I mi? Be' wnes i erioed i haeddu'r fath gosb? Wnes i ddim cam â neb, brifo neb.

Teimlodd y llid a'r gofid yn byrlymu i'w mynwes a'r dagrau llosg tu ôl i'w llygaid. Cododd yn drwsgl o'i chadair a rhuthro, orau y gallai â'i bagl, am ddrws y cefn. Dilynodd Taff hi.

"Llonydd ma'r hogan isio," meddai Nel Rowlands wedi i Mererid fynd allan i'r ardd. Ysgydwodd ei phen. "Mae angen trwsio meddwl yn ogystal â thrwsio corff arni, ma' arna i ofn. Dŵad i dderbyn y graith 'na, dyna ei phroblem fwya hi, druan bach."

Safodd Mererid i ddod ati'i hun wrth ddrws y cefn. O daria'r hen isio crio 'ma sydd arna i, ond fedra i ddim ei atal. Mae popeth mor annheg, bywyd i gyd yn annheg.

Baglau! Craith! Crio! Waeth imi heb â byw bellach. Chwipiodd yr atgasedd oedd ynddi'n gynddaredd wyllt a theimlodd fel dyrnu a darnio ei baglau'n chwilfriw.

Caeodd ei llygaid rhag edrych ar fyd a oedd yn atgas ganddi ac ymwthiodd dagrau araf o dan ei hamrannau. Pam? *Pam?* Pam rhoi bys ar Mererid Rees a gorchymyn, "Hon yw yr un. Maluriwch hi."

Trawodd ei baglau'n ffyrnig yn y cerrig mân wrth

ddrws y cefn a symudodd yn araf at wal yr ardd i syllu ar y caeau a oedd o'i blaen. I beth y des i yma? Mae pobman yr un fath i Mererid Rees rŵan. Disgwyl gwyrth oeddwn i pan gydsyniais i. Meddwl y buasai Duw yn trugarhau wrthi ynghanol natur odidog, yn newid ei feddwl a chwalu yr hyn a wnaeth.

Doedd yna ddim Duw. Nac oedd, nac oedd! Fuasai Duw byth wedi caniatáu i'r ddamwain falurio'i byd fel hyn. Byd heb garedigrwydd na thegwch oedd o, a mympwy sbeitlyd rhywun oedd wedi creu'r cyfan er mwyn sbort, y sbort o symud pobl o un sgwaryn i'r llall fel gwerin ar fwrdd gwyddbwyll.

Waeth gen i! Gwnewch fel y mynnoch â mi. Dim ots gan Mererid Rees. Croeso ichi ar y gweddill o'm bywyd diddim i.

Clywodd draed ei hewythr ar y cerrig mân o'i hôl.

"Wyt ti wedi gweld y cathod bach, Mererid? Pump ohonyn nhw, cofia. Wn i ddim ble'r ydyn ni am gael cartre iddyn nhw, ond yn sicr ma' pump yn ormod i'w cadw. Diar, mi fuasa' 'ma mwy o gathod nag o stoc yn fuan iawn. Eistedd ar y fainc 'na, ac mi ddo i â nhw atat ti. Does damed o ots gan 'u mam nhw i ble yr a i â nhw."

Eisteddodd Mererid yn ddistaw ar y fainc a mwytho Taff yn araf a rhythmig. Roedd pobman yn dawel yma. Dim ond heulwen ar wyneb a si yr awel fechan yn nail yr hen goeden dderwen wrth wal yr ardd. Dyna nefoedd fyddai aros yma'n ddisymud a gadael i'r byd ymlwybro heibio iddi. Doedd hi ddim isio'i wynebu fyth eto chwaith. Fe garai fod yn lleian a chefnu'n gyfan gwbl ar y byd a'i greulondeb. Ochneidiodd. Ond cariad oedd yng nghalon lleian, nid casineb. A chasineb sydd ynof fi, casineb at berchenogion yr wynebau ffals a'r lleisiau ffug-siriol, yr addewidion gwag.

Neidiodd o'i myfyrdodau wrth glywed llais ei hewythr.

"Dyma nhw iti. Paid â phoeni am Taff. Mae o'n ffrind i'r fam a'r rhai bach fel ei gilydd."

Plygodd i ddodi'r cathod bach wrth ei thraed a chipedrychodd i'w hwyneb. Ysai am afael ynddi a chysuro'r digalondid o'i hwyneb. Ond roedd yr eneth wedi cael digon o ffwsio. Llonydd i ymgodymu â phethau yn ei ffordd ei hun, dyna oedd orau iddi.

"Wel, dyna ti." Pwysodd ei law'n gariadus ar ei phen am eiliad cyn troi am y buarth. "Rhaid i rywun wneud ychydig o waith yn y lle 'ma, ysti, neu mi aiff â'i ben iddo'n fuan."

Pellhaodd sŵn ei draed ar y buarth a disgynnodd tawelwch ar yr ardd unwaith eto. Eisteddodd Mererid yno'n ddisymud, yn ddifywyd hollol a'i phenglog yn wagle, gwagle y gafaelai hi ynddo'n benderfynol, byth i'w ollwng eto. Un a safai o'r neilltu i lifeiriant bywyd oedd hi bellach. Dim dyfodol, dim breuddwydion, dim gobeithion. Dim. *Dim.*

Chwaraeodd y cathod bach wrth ei thraed. O dipyn i beth ymgollodd yn eu symudiadau chwareus, a chwarddodd yn erbyn ei hewyllys wrth weld Taff yn gorwedd yn amyneddgar tra crwydrai un ohonynt rhwng ei bawennau i orwedd o dan ei drwyn. Cododd ei hysbryd unwaith eto, ac eisteddodd yn ôl i ymlacio yng nghynhesrwydd yr heulwen.

Daeth gardd yr Hafod yn lloches i Mererid. Yno gallai ymguddio rhag prysurdeb y byd, y mynd a dod beunyddiol a lifai o'i hamgylch; cuddio, a gorwedd mewn rhyw ebargofiant rhwng cwsg ac effro am oriau ben-bwy-gilydd.

Haul, a gwres, a distawrwydd! Hithau'n ysbwng sychedig yn sugno'r cyfan i'w chyfansoddiad i adnewyddu'i nerth heb yn wybod iddi'i hun. Ie, awr yn dilyn awr o orwedd yn y deildy cyfrin rhwng y coed rhosynnau a grwydrai'n wrychoedd direol yn yr ardd. Oriau o syllu ar yr awyr las, ddigwmwl â llygaid llesg heb gyfrif cerddediad amser, ac yna syrthio i gysgu yn sŵn y gwenyn.

Cysgu, a deffro, a bwyta. Un dydd yn dilyn y llall fel rhes o dyrau unffurf a hithau'n berffaith fodlon ym mhatrwm araf ei dyddiau.

O dipyn i beth, anghofiodd y baglau a mentrodd, gyda Taff yn gysgod beunyddiol iddi, i'r buarth, ac yna ychydig ymhellach i unigrwydd y rhos. Treuliai oriau hamddenol, breuddwydiol yn ei byd bach caeëdig heb feddwl am ddim ond suo rhadlon yr awel yn y grug a heulwen haf ar ei hwyneb.

Ei hwyneb? Caeai ei meddwl rhag yr atgof ohono, gwthiai yr ymwybyddiaeth o'r graith a ddifethodd ei hapusrwydd i ryw gilan ddofn.

Ond ar fin nos dringai i'w llofft i syllu, er ei gwaethaf, ar yr hagrwch a'i hwynebai yn y drych. Yma roedd man cyfarfod y celu a'r gwirionedd; yma ar derfyn dydd y brwydrai â'r wybodaeth derfynol nad oedd modd ymguddio rhagddi, ac yma, wrth y ffenestr, yr eisteddai i syllu a chanfod cysur yn

nhawelwch y rhos a chysgod du'r hen blasty croesaw-
gar.

————————

"Diar, Les, rydw i'n dechra poeni am yr hogan
'ma," meddai Nel Rowlands gan brysuro i osod y
bwrdd brecwast a chadw llygad graff ar y badell ffrio
'run pryd. "Ma' hi'n berffaith fodlon ar ein byd bach
ni yma, ysti, y ti a fi a Taff; dyna'i bywyd hi ers
wythnosau bellach. Dydi o ddim yn naturiol. Wyt ti
ddim yn meddwl fod yn amser iddi ddechra' cyfarfod
pobol ac anghofio am y graith 'ma? Wn i ddim be
ddaw ohoni pan aiff hi'n ôl i Gaer, na wn i wir."

Nodiodd ei gŵr.

"Wel ia, Nel, rwyt ti'n berffaith iawn. Ond fedrwn
ni ddim gorfodi petha', ysti. Mi ddeudaist dy hun ma'
llonydd oedd yr hogan isio. Gad i betha' fod, da ti."

"Na wir, Les. Mae'n amser gwneud rhywbeth.
Rhoi rhyw bwniad bach i betha fel petai. Gwrando,
ma' Sioned Tŷ Rhos adra. Beth 'taswn i'n gofyn iddi
hi ddod yma i de? Mi fuasa'n gwmpeini i Mererid ac
yn gymorth i'w thynnu hi allan ychydig. Mae'r
ddwy'r un oed hefyd."

Ochneidiodd Les Rowlands.

"Rhyngddot ti a dy betha', Nel. Does dim dal
arnat ti wedi iti gael chwilen yn dy ben, ond gwylia di
wneud mwy o ddrwg nag o les."

Daeth sŵn traed Mererid ar y grisiau.

"Dyma hi rŵan. Cofia di, Nel, paid ti â rhuthro
petha'."

"Bore da, Wncl Les, Modryb Nel."

Cerddodd Mererid at y drws cefn a'i agor.

"Taff, ble'r wyt ti?"

Atebodd Taff ei galwad ar unwaith a sleifiodd i mewn ac o dan y bwrdd.

"Waeth imi ffarwelio â'r ci 'ma am ddiwrnod arall ddim," meddai ei feistr. "Be' goblyn ydych chi'ch dau'n gael i'w wneud ar y rhos 'na, wn i ddim."

Edrychodd yn ffug feirniadol ar ei gi.

"Ci ffansi wyt ti, Taff, dyna'r gwir, yntê, a chi diog yn y fargen."

Swatiodd Taff a'i ben rhwng ei bawennau.

"Waeth iti heb â smalio nad wyt ti'n clywed, chwaith."

Daeth Nel Rowlands at y bwrdd.

"Ddoi di efo Wncl Les a minna' i'r farchnad bore 'ma, Mererid? Mi fyddwn yn ôl erbyn cinio , ysti, ac mi fuasa'n newid bach iti."

Suddodd calon Mererid.

"O na, diolch, Modryb. Mi arhosa i yma. Roeddwn i am fynd am dro efo Taff y bore 'ma."

Saethodd Nel Rowlands gipolwg arwyddocaol ar ei gŵr.

"Dyna ti, Mererid, gwna di fel fynnot ti. Gyda llaw, rydw i am ofyn i Sioned Tŷ Rhos ddod yma i de yfory. Mi fuaswn i yn hoffi ichi gyfarfod eich gilydd."

Suddodd calon Mererid eilwaith, a heb yn wybod iddi'i hun, crwydrodd ei bys i redeg nôl a blaen, nôl a blaen ar hyd y graith hagr o'i thrwyn i'w thalcen.

"Mi fydd Sioned yn bymtheg mis Medi 'ma, dim ond deufis yn hŷn na thi, Mererid. Mi gewch ddigon o hwyl efo'ch gilydd, rwy'n siŵr."

Gwenodd ar Mererid.

"Twt, y gwir amdani, ysti, dydi dy Wncl a

28

minna'n dallt dim am ddiscos, a recordia' pop a'ch diddordeba chi'r ifanc. Duwcs, gramaffon troi handlen oedd yna pan oeddwn i'n ifanc a honno'n rhyfeddod i'n clusta' ni.''

''Hwyrach y caf inna ychydig o waith o groen y ci 'ma, wedi iti gyfarfod Sioned,'' meddai Les Rowlands gan chwerthin. ''Os ydi dwy eneth rywbeth yn debyg i ddwy wraig, fydd dim taw ar eich cegau chi, ac mi flinith Taff ar sŵn clepian tafodau.''

''Ydych chi'i angen o mewn difri?'' holodd Mererid yn boenus. ''Ma'n ddrwg gen i'i ddenu o bob dydd fel hyn.''

Cododd Les Rowlands a phwysodd ei law ar ei hysgwydd am ennyd.

''Paid â phoeni, merch i. Pan fydda i'i angen o, rydw i'n gwybod y daw o.''

Llanwodd llygaid Mererid â dagrau a phlygodd i fwytho Taff i'w cuddio. O! roedd y ddau'n ffeind wrthi ac Wncl Les yn deall i'r dim sut yr oedd hi'n teimlo. Fe ddylai hi wneud mwy o ymdrech i gyfarfod pobl er eu mwyn *nhw*. Llwfrhaodd ei chalon wrth feddwl am y peth a theimlodd wendid crynedig yn llifo i'w choesau. Na, yr oedd ymdrech yn ddyledus iddyn nhw am ei goddef yr wythnosau diwethaf 'ma. Ymsythodd.

''Mi ddo i efo chi y bore 'ma,'' meddai. ''Dydw i ddim wedi bod ym marchnad Llanrwst ers talwm.''

''Go dda, ngenath i,'' meddai ei hewythr gan roi winc arni.

Cuddiodd Nel Rowlands y diolch sydyn a gododd i'w mynwes. Diolch i Dduw, roedd hi yn dechrau dod ati'i hun. Carlamodd ei meddwl ymlaen i drefnu'r dyddiau. Oedd, roedd hi yn llygaid ei lle wrth ofyn i Sioned ddod i'r Hafod i gyfarfod Mererid. Cwmni rhywun 'run oed â hi oedd Mererid ei angen rŵan, rhywun i ymuno â hi yn niddordebau'r ieuanc.

"Mi fydd gen i newydd da i Luned heno," meddyliodd. "Mi fydd yn godiad calon iddi hi a Gwynfor. Bu'n dipyn o gamp iddyn nhw adael iddi cyhyd a hwythau mor boenus yn ei chylch. Mae hi wedi cael ei llonyddwch, ei chodi allan sydd angen rŵan."

"Ia, mi fydda i'n falch o dy gwmpeini, Mererid," meddai'n uchel. "Mae mynd â dy Wncl Les i'r farchnad fel twsu mochyn, ysti. Aiff o byth y ffordd wyt ti isio."

Wedi gorffen mân orchwylion y bore, baciodd Les Rowlands y Land Rover o'r garej a dringodd Mererid i eistedd wrth ochr ei modryb. Gorweddodd Taff yn ddigalon ar y buarth a'i lygaid yn erfyn am gael dod hefyd. Trugarhaodd ei feistr.

"I fyny â thi," gorchmynnodd a neidiodd Taff ar unwaith i'r cefn.

Teimlai Mererid guriad ei chalon yn llanw'r hollfyd, yn boddi'i synhwyrau mewn rhuthr llifeiriant fel y byrlymodd ofn trosti. Peidiwch â chyflymu, Wncl Les, gwaeddodd ei meddwl. Dydw i ddim isio cyrraedd yno. Dim isio wynebu'r llygaid a'r cwestiynu, y cipedrych a'r siarad. Brathodd ei gwefus hyd at waed rhag galw arno i aros, i droi yn ôl, ôl, *ôl!* Dyheai am dawelwch a lloches yr Hafod.

Cododd surni cyfoglyd ofn i'w gwddf. O be wna i? *Fedra* i ddim, ydych chi ddim yn deall? Llanwyd ei meddwl gan gasineb. Casineb ofnadwy tuag at Wncl Les a Modryb Nel am ei gorfodi yma. Ia, gorfodi. Ei gwneud yn amhosibl iddi wrthod. Gorfodi oedd hynny, yntê? Brwydrodd â hi ei hun. Y ti ddywedodd y buaset ti'n dod, Mererid Rees. Y ti gymerodd y cam anochel hwnnw yr oedd yn rhaid iti ei gymryd ryw ddydd, os nad wyt ti am gilio oddi wrth y byd yn gyfan gwbl.

Teimlodd ei chalon yn crebachu o'i mewn, yn diflannu fel chwysigen rwygedig o dan donnau ofn. Neidiodd diferion chwys i'w thalcen a thynhaodd ei bysedd yn ddyrnau caeëdig a'r ewinedd yn brathu'n annioddefol.

Trodd y Land Rover i'r maes parcio. Pam, o pam y cydsyniodd i ddod i ganol ffasiwn dyrfa ar ddiwrnod marchnad o bob diwrnod? Cyfarfod pobl fesul un ac un fuasai orau, nid ei bwrw ei hunan i dyrfa fel hyn. Cryfhaodd ei hangen i droi'n ôl a dianc, dianc oddi wrth y llygaid a deimlai arni o bob cyfeiriad.

"Tyrd, mi awn ni i'r farchnad gyntaf," meddai Nel Rowlands. Trodd at ei gŵr. "Rhyw awr fyddwn ni, Les. Waeth iti heb â chloi gan fod Taff yn y Land Rover."

Cegau! Lleisiau! Crechwen! Teimlai fel bwrw'i hunan i gornel dywyll a chuddio yno am weddill ei hoes. Fe'i gorfododd ei hunan i gerdded wrth ochr ei modryb. Fe wyddai hi yn union deimlad y cadno, a'r helgwn yn dynn wrth ei sodlau. Y teimlad caeëdig, clostroffobig heb ddrws i ffoi i unman. Roedd y byd yn cau amdani, yn ei llyncu i'w ystumog ddiwaelod.

"Wel, Nel Rowlands, a sut ydych chi heddiw?"

Trodd ei modryb i ateb a safodd hithau wrth ei hochr. Pobl! Lleisiau! Caeodd ei llygaid gan ddymuno'i hunan yn ôl yn neildy'r rhosynnau crwydrol a'r sgwâr bychan o wybren las y bu hi'n syllu arno, yn ei boddi ei hunan ynddo am oriau benbwy-gilydd.

"Merch eich chwaer, Nel Rowlands? Ia, wedi dod atoch chi i wella ar ôl y ddamwain, yntê? Sut ydych chi, merch i?"

Neidiodd Mererid o'i myfyrdodau fel rhyw sboncyn gwair bron â'i wasgu'n ddim gan droed anystyriol. Be ddywedodd hi? Ymdrechodd i wenu a'i hwyneb fel lledr darfodedig, bron a hollti'n ddwy.

"O, gwella'n ardderchog erbyn hyn," meddai Nel Rowlands gan neidio i'r bwlch. Brysiodd ymlaen. "A sut mae John acw, Mrs Williams? Diodda oddi wrth y lymbego oedd o y tro diwetha y gwelais i chi."

"O'r creadur druan, wedi diodda am . . ."

Trodd Mererid i gerdded at y stondin agosaf a'i meddwl fel siglen ddireol yn ogwyddo'n wyllt o un teimlad i'r llall. Doedd neb yn cymryd fawr o sylw ohoni, yn nac oedd? Neb yn sefyll i edrych ar hagrwch ei wyneb. Tybed a oedd o'n well nag a feddyliodd wedi'r cwbl?

"Be gymerwch chi, ngenath i?" gofynnodd y ddynes groenddu, fodrwyog. "Un o'r breichledau aur yma? Y rhataf yn y farchnad heddiw. Dim ond punt a rheiny'n aur pur."

Ysgydwodd Mererid ei phen a symud ymlaen heb ateb. Safodd i wylio'r gwerthwr llestri â'i wyneb crwn yn chwys llafar.

"Dowch, dowch ar frys am fargeinion y dydd. Cwpanau, soseri, platiau heb eu bath." Trawodd y bocs â'i forthwyl. "Nid *deg* punt, nid *wyth,* nid hyd yn oed *chwech* ferched. *Pedair punt i'r cwsmer cynta.* Set i chi, madam? Cymer yr arian, Wil. Dyna ichi ferch â thrwyn am fargen, begio'ch pardwn, misus bach. Yntê, ledis? Pwy arall? Bargeinion y dydd, ferched.''

Heb yn wybod iddi'i hun ymgollodd Mererid yng ngeiriau'r gwerthwr a symudodd yn nes at y stondin i glywed yn well.

''Tsieni o'r math gorau! Fe gostiai hwn ffortiwn ichi yn siop y dre, ledis.'' *Bang! Bang!* Trawodd y plât ar y bocs. ''Dim malu yn ei hanes o. Ma' hwn yn sefyll—*Bang*—i fyny—*Bang*—i'r cam-drin mwya.'' *Bang!*

Syrthiodd ei lygaid ar Mererid.

''Yli, blodyn, gafael yn y plât 'ma a rho gnoc iawn iddo ar y bocs 'ma. Mi ro i set o'r tsieni gora' iddi os bydd gymaint â tholc ynddo fo, ledis.''

Gwridodd Mererid yn boenus wrth deimlo llygaid y dorf arni. Rhoes ei llaw yn nerfus wrth ei hwyneb a heb godi ei golygon, gafaelodd yn y plât a'i daro'n galed yn y bocs.

''Dyna chi, ledis, be' ddywedais i? Dim tolc ynddo fo. Diolch, del, mi wnei di wraig ardderchog ryw ddiwrnod. Oni bai fy mod i'n rhy ifanc mi fuaswn i'n sythu amdanat fy hunan.''

Rhwbiodd ei wallt brith a gwnaeth ystum doniol.

''Dosbarth tri ydw i fyth, ledis. Methu'n lân â dysgu fy syms, ychi. Dyna'r gwir, yntê, Wil?'' Nodiodd ei bartner. '''Rhoswch chi, dwy bunt oedd y set 'na, yntê?''

''Pedair punt,'' galwodd Wil gan ysgwyd ei ben ar y gynulleidfa a tharo'i fys ar ei dalcen. ''Fedr o ddim gwneud syms, ledis. Dyma'ch cyfle chi am fargen.''

Ymlaciodd Mererid wrth weld nad oedd neb yn

cymryd fawr o sylw ohoni a safodd eto i fwynhau'r gwerthu. Yna o dipyn i beth, sylweddolodd fod chwerthin a siarad isel ychydig tu ôl iddi. Daeth y sisial eto. Trodd i edrych. Safai dwy eneth tua'r un oed â hi yno, a'r ddwy â'u llygaid arni. Gwridodd. Pwy oedden nhw tybed?

Wrth weld llygaid Mererid arnynt edrychodd y ddwy i gyfeiriad arall, ond nid cyn i Mererid sylwi i un roi pwniad slei i'r llall ac iddi glywed ei llais—"Welaist ti'i hwyneb hi, Mair?" Daeth y chwerthin isel eto. "Dychmyga weld rhywun fel'na o dan oleuada' disco. Digon i roi hunllef i neb! Rêl Draciwla! Hi! Hi!"

Ar amrantiad, chwalwyd hapusrwydd Mererid a throdd, heb weld bron trwy'i dagrau, i ruthro am y Land Rover. Taflodd ei hunan i mewn iddo a syrthio ar y sedd mewn storm o ddagrau. Clywodd y geiriau atgas eto. Draciwla! O! sut yr oedd hi byth am fynd yn ôl i Gaer i wynebu'i ffrindiau eto, i ymuno yn y diddordebau a'r chwaraeon a fwynhâi hi gymaint? Wylodd. Daeth llyfu gwyllt ar ei hwyneb a thrwyn Taff yn ymwthio rhwng ei dwylo.

"O, Taff bach," meddai trwy'i dagrau. "Dim ots gen ti am yr olwg sydd arna i."

Llifodd ei dagrau eto mewn digalondid ac anobaith, ac ni chlywodd ddrws y Land Rover yn agor.

"Ngenath bach i, be' sy?"

Teimlodd freichiau cadarn yn ei anwylo a llais Wncl Les.

"Mererid bach, paid â chrio. Dywed wrtha' i be' sy."

34

Pwysodd Mererid yn ddiolchgar ar ei ysgwydd a chwythodd ei thrwyn efo'r hances fawr, arogl baco, a estynnodd iddi. Duodd wyneb ei hewythr wrth glywed y stori.

"Mi ro i Draciwla iddyn nhw os gwela i nhw. Gwrando, Mererid, a choelia fi, rydw i'n dweud y perffaith wir wrthyt ti. Fe aiff y graith yna bron i gyd ryw ddiwrnod. Nid ar unwaith, cofia di, ond *mi* aiff. Yn y cyfamser rhaid i ti dy gynorthwyo dy hunan, ysti. Magu croen gwydn a phenderfyniad yn wyneb petha' fel hyn. Dydi pobl fel y genethod 'na ddim gwerth 'u hystyried. Gwaelodion y bin ysbwriel ydyn nhw, yn mynd allan o'u ffordd i frifo teimladau ac achosi poen. Fe aiff y cyfan heibio ryw ddiwrnod ond rhaid iti fagu'r dewrder i gyfarfod dy broblemau. Aiff dim i ffwrdd wrth ymguddio rhagddo, ysti."

"Ond fedra i ddim mynd yn ôl i'r ysgol a mynd i ddawns a pharti fel o'r blaen, Wncl Les. Dydych chi ddim yn deall, mi fydd pawb yn chwerthin am fy mhen i."

"Fe ddaw amser y byddi di a phawb arall wedi anghofio bod craith yna o gwbl," cysurodd ei hewythr hi.

Sniffiodd Mererid a chwythu'i thrwyn unwaith eto. Gwenodd yn wanllyd ar ei hewythr.

"Rydw i'n teimlo'n well rŵan, diolch. Ond fedra i byth anghofio geiriau'r eneth 'na. Doedd dim angen iddi ddweud peth mor atgas, yn nac oedd, Wncl Les?"

"Nac oedd, ngenath i, ond fel'na ma' rhai pobl. Tyrd rŵan, mi fydd dy fodryb yn ôl yn fuan. Roedd hi'n dweud wrtha i ei bod wedi dy golli yn y farchnad.

Paid â gadael iddi weld yr wyneb digalon 'na. Roedd hi wrth ei bodd yn dy weld yn dod allan, ysti.''

Ymhen hir a hwyr, cyrhaeddodd Nel Rowlands yn llwythog at y Land Rover.

"Wel wir, ma' siopio yn mynd yn fwy o dreth bob tro y do i i'r farchnad 'ma. Wnest ti fwynhau dy hunan, Mererid? Brynaist ti rywbeth? Mi welais i Sioned yn y farchnad. Ma' hi am ddod acw pnawn 'fory. Mi wna i de bach ichi allan yn yr ardd.''

Gosododd Nel Rowlands ei hunan yn gyfforddus ar y sedd ac ailadrodd y newyddion a gafodd yma ac acw yn y farchnad.

"Wyddost ti, Les, ma' Bryn Pîn wedi gorffen efo'r gwair. Roedd Elin Jones yn dweud wrtha i iddyn nhw gael llond y tŷ o Saeson dros y penwythnos, mwy na fedran nhw'u rhoi i fyny. Ma' nhw'n 'i gwneud hi'n iawn wrth gadw'r byddigions 'ma. Gwely a brecwast yn unig, ysti, a dim arlliw ohonyn nhw tan amser gwely wedyn. Chwarae teg i'r petha bach. Chawson nhw ddim awyr iach ers y llynedd. Byw mewn hen dre fyglyd, a neb yn dweud how-di-dw wrth ei gymydog.''

Eisteddodd Mererid yn ddistaw wrth ei hochr a'i byd bach digalon yn cau amdani unwaith eto. Er i'r sgwrs lifo'n barhaus, ni chlywai hi ddim ond y geiriau atgas fel tôn gron yn ei chlustiau "Rêl Draciwla, Dra-ciw-la'' ac ymunodd y geiriau â refio peiriant y car, ynghyd â llais ei modryb, yn gymysgfa swnllyd, hun-llefus yn ei hymennydd.

Ond roedd trwyn oer Taff yn gysur distaw ar ei gwar, a'i bawen yn pwyso'n drwm ar ei hysgwydd yn union fel pe bai'n deall y cyfan. Ysgafnhaodd ei chalon ychydig.

"Taff bach, rwyt ti'n ffrind go iawn, yn dwyt ti?"

———————

Trannoeth, fe lanwyd cegin yr Hafod gan arogl y crasu ar gyfer ymweliad Sioned. Er na chymerodd arni, roedd Nel Rowlands yn bur anniddig ynglŷn â Mererid, yn enwedig wedi iddi sylwi ar y gruddiau llwydion a'r cysgodion duon o dan ei llygaid. Ond fe'i cysurai ei hunan, heb ryw lawer o argyhoeddiad, mae'n wir, y byddai ymweliad Sioned yn siŵr o wneud lles iddi.

Bu hithau'n flin, fel ei gŵr, o ddeall am y ddwy eneth a'u geiriau anystyriol yn y farchnad. Fel y sylwodd wrtho'r noson flaenorol,

"Fe all hyn ddad-wneud yr wythnosau araf o wellhad, Les. Rydw i'n fy meio fy hunan am adael iddi grwydro i ffwrdd ar ei phen ei hun, ydw wir, ond fe wyddost am Beti Wilias, does dim taw ar ei cheg hi wedi iddi ddechra' sôn am John a'i lymbego." Ochneidiodd. "A finna'n meddwl y buasai Mererid yn mwynhau crwydro'r farchnad. Be' wna i ynglŷn â Sioned, dywed? Biti fy mod i wedi gofyn iddi ddod yma. Ond dyna fo, pwy fuasai'n disgwyl i hyn ddigwydd."

"Gad lonydd iddi ddŵad, Nel bach. Mae'n rhaid i Mererid ymgodymu â'i phroblemau yn hwyr neu hwyrach. Ac fel yr wyt ti'n dweud, efallai fod cwmpeini o'r un oed yr union beth sydd arni'i angen."

Felly wedi i Mererid orffen ei chinio a chynorthwyo

ychydig ar ei modryb yn y gegin, meddai Nel Rowlands,

"Dos di allan am dro bach. Fydda i fawr o dro yn gorffen y sgons 'ma."

"O'r gorau, Modryb Nel."

Cydsyniodd Mererid fel petai mewn breuddwyd. Beth oedd yn bod arni y pnawn 'ma? Nid oedd ganddi ynni i ddim ond symud yn llesg uwch gorchwylion y gegin a'i meddwl yn wagle od heb gyswllt yn y byd â hi rywsut.

"Tyrd, Taff."

Dringodd yn araf a Taff wrth ei sodlau i'w hoff eisteddle uwch y fferm. Yno ar derfyn y rhos, roedd llwyni trwchus o eirin perthi'n cyd-dyfu'n lluosog â choed di-siâp a ogwyddai i gyd i'r un cyfeiriad wedi gwyntoedd garw y gaeaf. Eisteddodd yn ddiolchgar yn eu cysgod ac edrychodd o'i hamgylch. Oddi tani, gorweddai ffermdy'r Hafod a'i fuarth a'r beudai'n cau'n glos amdano, a'r ychydig gaeau gleision a berthynai iddo'n batrwm taclus o'i amgylch. Tu ôl iddi, pe cerddai heibio'r llwyni a'r coediach, estynnai aceri agored y rhos yn gymysgedd o frwyn a mwsog a grug hyd at furiau'r hen blas yn y pellter.

Gorweddodd yn ôl i syllu i'r awyr glir uwchben. Teimlai'n wag a blinedig fel pe buasai pob meddwl a theimlad wedi'i dywallt ohoni'n llwyr. Llanwyd ei chymalau â thrymder llethol, a rhywle ymhell tu ôl i'w llygaid, fe gurai morthwylion bychain taer.

Caeodd ei llygaid i'w tawelu a gorweddodd yno'n hollol ddisymud. Hunodd, deffrodd bob yn ail, a'r llesgedd a churiadau'r morthwylion yn ymgripio'n araf i'w chaethiwo.

Ymhen amser blinodd Taff ar eistedd a chododd i wthio'i drwyn o dan ei llaw a denu'i sylw.

"Taff bach, isio sylw wyt ti?" gofynnodd Mererid yn llesg.

Rhoes ei llaw i'w fwytho. Roedd yn rhaid iddi symud er y llesgedd ofnadwy yma. Cododd a cherddodd yn araf heibio i'r llwyni i syllu ar yr hen blasty. Oedd, roedd yn rhaid iddi fynd yno ryw ddiwrnod. Yfory, efallai? Na, nid yfory. Rhywdro yn y dyfodol.

Saethodd cynnwrf trwyddi wrth iddi feddwl am gerdded tuag ato ac i mewn i'w ddrws croesawgar o'r diwedd. Pam roedd hi'n oedi cymaint a hithau'n teimlo'i swyn yn ei denu ato? Syllodd arno.

"Wythnos nesa, mi ddo i yr wythnos nesa," addawodd iddo a dychmygodd ei ateb, "O'r gora', merch i."

Syllodd arno eto. Dyna od, roedd o'n mynd a dod o flaen ei llygaid. Yn symud i'r dde a'r chwith, a'i furiau trwchus yn crynu ac ymdoddi i ryw bellter niwlog.

Rhwbiodd ei thalcen yn flinedig ac edrychodd ar ei wats. Bron yn dri o'r gloch. Fe fyddai Sioned wedi cyrraedd ers meitin. Trodd ar ei sawdl a cheisio rhedeg bob yn ail â pheidio i lawr am yr Hafod.

Cyflymodd y morthwylion bach didrugaredd yn ei phen a threiglodd y chwys oer i lawr ei chefn. Yn ddisymwth saethodd ei hanadl yn bicell losg i'w hysgyfaint a daeth ton o benysgafnder trosti. Chwyrlïodd popeth o'i hamgylch, yn goed, ac awyr, a glaswellt.

Distawrwydd perffaith a thywyllwch. Dim haul, na choed, na glaswellt. Byd heb iotyn o sŵn na ffurf iddo.

Ar y rhos yr oedd hi, yntê? Taff! Taff, ble'r wyt ti? Estynnodd ei llaw'n erfyniol. Taff!

Teimlodd ei lyfiad cynnes, llaith ar ei llaw. Palfalodd am ei goler. Paid â'm gadael, Taff. Dydw i'n gweld na chlywed dim ond yr hen forthwylion didostur 'ma yn fy mhen.

Suddodd i'w gliniau. Fedra i ddim mynd ymlaen. Mae popeth yn ormod imi. O! roedd hi'n teimlo'n sâl.

Cysgu. Cysgu yma, byth i ddeffro eto. Tawelwch a hedd ar y llifeiriant sy'n mynnu fy nghipio ymaith. Hen ffrind ydi o, yntê? Rydw i wedi bod yma o'r blaen. Y *nhw* ddaeth â mi'n ôl, fy nghipio o fynwes gysurus y lli a'm taflu i fyd oeraidd, dibwrpas. Ond ar y lli rydw i am fod bellach. Suddodd i'r llawr.

Llyfodd Taff ei hwyneb yn egnïol a chlywodd hithau, o rywle yn y pellter niwlog uwch ei phen, ei gyfarthiad taer. Modryb Nel! Wncl Les! Mam a thad! Roedd yn rhaid iddi ymdrechu er eu mwyn hwy. Casglodd weddillion ei nerth.

"Taff, dos adra, Taff bach. Adra."

Gollyngodd ei goler fel y cipiwyd hi eilwaith i'r llifeiriant a ddisgwyliai amdani.

Safodd Taff am ennyd hir uwch ei phen. Rhoes bwniad i'w chorff llipa a llyfodd ychydig ar ei hwyneb, fel petai'n methu â deall ei diffyg ymateb. Yna trodd i redeg yn ôl am y fferm. Cyrhaeddodd y buarth.

"Taff, dy hunan wyt ti, ngwas i? Ble mae dy gydymaith?"

Pwysodd Les Rowlands ar wal yr ardd a syllu i fyny

at y rhos gan ddisgwyl gweld Mererid yn cerdded i lawr y cae glas.

"Ble ma' hi gen ti, was?"

Cyfarthodd Taff yn wyllt gan edrych i wyneb ei feistr, yna cychwynnodd yn ôl am y rhos. Arhosodd gan edrych ar ei feistr drachefn, yna rhedeg yn ei flaen wedyn. Daeth Nel Rowlands at y drws.

"Beth sy' ar y ci 'ma, dywed? Ble ma' Mererid?"

Syllodd Les Rowlands i fyny at y rhos cyn troi'n sydyn at ei wraig.

"Mae rhywbeth o'i le, Nel. Does yna ddim golwg o Mererid."

"Beth yn y byd . . .?" Cychwynnodd Nel Rowlands am gât y cae.

"Na, Nel, aros di yma. Mi fydd Sioned yn cyrraedd unrhyw funud. Efallai nad oes dim o'i le, ysti, ond welais i mo Taff yn byhafio fel hyn o'r blaen."

Cychwynnodd i fyny'r cae glas. Wedi canfod bod ei feistr yn dod, rhedodd Taff yn gyflym ymlaen at y rhos, gan droi bob yn hyn a hyn i gyfarth ac edrych arno.

"Ngenath bach i," meddai Les Rowlands wrth ganfod corff Mererid ar derfyn y rhos. "Wyt ti wedi syrthio a brifo?"

Ond nid oedd ateb. Plygodd uwch ei phen i deimlo'i thalcen poeth, chwyslyd a symudodd ei ddwylo'n dyner hyd ei chorff a'i choesau rhag ofn bod niwed arnynt.

Dechreuodd Mererid siarad yn isel, floesg fel y cododd ei hewythr hi a'i chludo yn ei freichiau i lawr am yr Hafod.

41

"Nefoedd fawr, Les bach, ble cefaist ti hi? Ydi hi wedi brifo? Rho hi i orwedd ar y soffa 'ma am funud.''

Estynnodd glustog o dan ei phen a phlygodd i roi ei llaw ar ei thalcen yn bryderus.

"Mererid!"

Sychodd ei thalcen llosg â chadach oer, gwlyb, ac wrth deimlo ei gyffyrddiad agorodd Mererid ei llygaid yn araf. Ymdrechodd i eistedd.

"Paid â symud. Rwyt ti'n saff yn yr Hafod rŵan. Oes rywle'n brifo gen ti? Wnest ti syrthio a tharo dy ben?''

"Na-a. Sâl . . . oedd-wn . . . i.''

Estynnodd ei modryb wydraid o ddŵr iddi a rhoes ei braich tu ôl i'w phen yn gymorth iddi.

"Llymed bach o ddŵr, ngenath i.''

Yfodd Mererid yn ddiolchgar. O! roedd hi'n teimlo'n boeth a chwyslyd. Nofiodd ei phen eto. Trodd y gegin ar garlam afreolus, y dresel a'r cadeiriau'n chwarae dal â'i gilydd, a'r cyfan yn agosáu a phellhau fel pethau gwirion. Daeth cnoc sydyn ar y drws.

"Diar, ma' Sioned wedi cyrraedd.''

Daeth llais ei modryb o ryw bellter anghysbell.

"Tyrd i mewn, Sioned. Dydi petha' ddim yn dda iawn yma, weldi. Mererid ddim yn dda, ychi.''

Cododd Mererid ei phen i edrych at y drws. Rhoes ei chalon sbonc wyllt ac ailgurodd y morthwylion didrugaredd uwch ei llygaid. Edrychodd yn hurt i wyneb yr eneth a safai wrth y drws a chlywed eto ei geiriau sbeitlyd yn y farchnad.

"Rêl Draciwla—Drac—iw—la.''

"Na, na, ewch â hi i ffwrdd. Na . . . Na—aaa—aa!"

Daeth rhuthr afon i'w chlustiau a llwydni i'w llygaid; pellhaodd y lleisiau fel y syrthiodd i ddüwch diwaelod.

Llewygodd.

"O'r druan fach," meddai Nel Rowlands. "Rho glustog o dan ei thraed hi, Les. Tyrd imi agor botymau'r blows 'na."

Agorodd Mererid ei llygaid i ryw fyd gwlanog, llwyd-dywyll a chlywodd lais ei modryb yn mynd a dod uwch ei phen. Nofiodd wyneb dieithr tuag ati, na nid dieithr—Sioned! Trodd ei phen i ffwrdd a chaeodd ei llygaid rhag y cof ohono.

"Wir, rydw i'n meddwl ma' i dy wely ydi'r gora' iti fynd," meddai Nel Rowlands. "Rhedeg a chwysu gormod a hithau mor boeth wnest ti. Aros yn dy wely tan yfory hefyd, dyna fydd ora'."

"Mi a i adra, Mrs Rowlands," meddai Sioned. "Waeth imi heb ag aros a Mererid ddim yn dda. Mae'n ddigon hawdd imi ddod ryw ddiwrnod eto."

"Ia, dyna ti. Eglura i dy fam y rheswm pam, a phan fydd Mererid yn well, mi gewch gwmpeini'ch gilydd eto."

Trodd at Mererid.

"Rŵan, mi afaelith Wncl Les ynot ti. Gwely pia hi."

Gorweddodd Mererid rhwng cysur y cynfasau a thynnodd Nel Rowlands y llenni ar gau.

"Dyma ti dabled fach yn gymorth iti gysgu. Mi ddo i i fyny mhen rhyw awr neu ddwy. Tria di orffwys, mechan i."

Distawodd sŵn ei thraed ar y grisiau a chaeodd

Mererid ei llygaid i geisio llonyddu'r curiad didostur oedd rhyngddynt. Symudodd yn anniddig rhwng y cynfasau. Poethder. Chwys. Poen. Cynyddodd y curiadau a'r gwayw yn ei chymalau, a'r pigiadau llosg i'w hysgyfaint.

Trodd o'r chwith i'r dde, taflodd y flanced oddi arni a theimlodd chwys yn afon wlyb amdani. Syrth-iodd i freuddwydion cymysglyd am hapusrwydd crwydro'r rhos gyda Taff, a chysgod bygythiol Draciwla'n ei herlid tuag at y plasty a giliai'n ôl ac ôl o'i blaen. Ceisiodd alw ond rhewodd ei thafod, a theimlodd ddwylo'n cau a gwasgu am ei gwddf.

Rhedodd Nel Rowlands i lawr y grisiau.

"Les, rhaid imi ffonio Doctor Jones ar unwaith. Dydw i'n hoffi dim ar 'i golwg hi."

Brysiodd am y ffôn.

Deffrodd Mererid i lais dwfn y meddyg uwch ei phen a'i ddwylo caredig ar ei thalcen. Symudodd yn aflonydd.

"O! rydw i'n boeth a ma' fy mhen i'n brifo."

"Dim ond pigiad bach, Mererid. Mi deimlwch yn well wedyn."

Wedi cyrraedd y gegin, trodd Nel Rowlands yn bryderus at y meddyg.

"Beth sy, Doctor? Ydi hi'n wael iawn? O diar, helynt i beth fel hyn ddigwydd."

"Mi fydd angen gofal mawr arni am ddiwrnod neu ddau, Mrs Rowlands. Ond wedyn, buan iawn y daw ati'i hun. Sioc y ddamwain sy wedi dal i fyny efo hi, 'dych chi'n gweld. Roedd o'n siŵr o ddigwydd yn hwyr neu hwyrach. Fe allai unrhyw ddigwyddiad ei gychwyn. Llonyddwch a gorffwys perffaith mae hi'i angen. Peth rhyfedd ydi sioc, ychi. Mae o'n hir yn ei ddangos ei hun weithia'.''

"Beth am ei rhieni, Doctor? Well imi anfon atyn nhw?''

"Ia, dyna fydda' ora', Mrs. Rowlands. Ond sicrhewch nhw nad oes angen poeni'n ormodol. Mi fydd hi'n gwella'n fuan wedi i'r gwres 'ma ei gadael hi. Fe alwa i eto 'fory. Pnawn da, eich dau.''

Edrychodd Nel Rowlands a'i gŵr ar ei gilydd.

"Wyddost ti," meddai Nel Rowlands, "fedra i ddim cael yr olwg oedd ar ei hwyneb hi pan welodd hi Sioned oddi ar fy meddwl. Dyna oedd y sioc a gafodd hi, iti. Roedd hi yn union fel pe buasai wedi gweld ei gelyn mwyaf.''

Tynnodd Les Rowlands ei getyn o'i boced.

"Ia, rydw inna' wedi bod yn meddwl am hynny.'' Tynnodd yn ei getyn, "Mi ddywedais i wrthyt ti be' ddigwyddodd yn y farchnad, o'n do? Dydw i ddim mor siŵr nad oedd a wnelo Sioned rywbeth â'r peth. Fedrais i 'rioed glosio at yr hogan yna, ysti. Llygadu pob dyn a bachgen o fewn hanner milltir iddi. Rêl madam bach ydw i wedi'i chael hi.''

Edrychodd Nel Rowlands arno am ennyd hir a'i meddwl hithau'n gwibio. Nodiodd.

"Ia, rwyt ti'n iawn. Roedd hi yn y farchnad, a Mair Tŷ Hen efo hi.'' Ochneidiodd. "Roeddwn i'n arfer â meddwl 'i bod hi'n eneth fach neis, ond ma' pawb yn gwneud camgymeriad, ddyliwn. Rhag cywilydd i'r sospan fach ddeuda i. Draciwla wir! Mae'r graith 'na'n gwanhau bob dydd.''

Ochneidiodd ei gŵr.

"Ydi, ond fedr Mererid ddim cydnabod hynny eto, Nel bach. Dyna ydi'r drwg, weldi."

Fe ddilynodd dyddiau o droi a throsi a chrwydro meddwl i Mererid. Dro ar ôl tro gwaeddodd ar ganol hunllef ddieflig o gysgodion erlidus. Rhibidirês ohonynt yn ystumio a checru o flaen ei llygaid. Ymladdai i daflu ymaith yr hen wyneb maleisus, enfawr a siglai o'i blaen, chwifiai ei breichiau i'w daro ymaith, ond ymdoddai trwyddynt rywsut i siglo geg yn geg â hi, ac i ailadrodd ei neges atgas. "Rêl Draciwla. Rêl Drac-iw-la."

Pwysodd ei dwylo ar ei chlustiau a sgrechian, sgrechian i'w foddi. Yna torrai llais tawel ei mam trwy'r hunllef, a diflannai'r cwbl yng nghysur ei llaw dyner ar ei thalcen a llymaid o ddŵr oeraidd i'w gwefus.

Am eiliad yn unig. Yna ymgripiai'r drychiolaethau yn ôl heb i'w mam eu gweld; dawnsient yno a'u crechwen yn llenwi'i chlustiau. Un ar ôl un, un ar ôl un yn llamu ac ystrancio mewn dawns faleisus tuag ati ar hyd y gobennydd, ar y cwrlid, y nenfwd, y muriau. Roedd ei byd yn llawn ohonynt.

Yna'r cyfan yn ymdoddi'n un belen fawr yn sydyn. Pelen fawr ddu yn chwyddo'n araf, fygythiol cyn ffrwydro'n wrthrych blewog a lusgai'n araf, sicr ar y gobennydd. Agorodd ei cheg i weiddi. *Mam!* Ond ni ddeuai sŵn o'i genau.

Llamodd y gwrthrych i orwedd yn fyglyd, drwm ar ei ffroenau. Mygu! Mygu! Ymaflodd yn y dillad;

46

trodd ei phen yn wyllt mewn ymdrech i'w daflu ymaith.

Blanced wlanog yn araf wasgu'r anadl ohoni, yn tynhau ar ei hanadl olaf. Mygu! *Mygu! Mam!*

Breichiau tyner a lleithder ager i'w ffroenau llafurus.

Ha! Ha! Siglwyd hi gan chwerthin sydyn. Rhen greadur blewog yn gorfod ffoi am ei hoedl. Eitha gwaith â fo, yntê, Mam? Ddaw o ddim yn ôl eto, yn na wnaiff? Dacw fo'n cilio â'i gynffon yn ei afl. Am byth, yntê, Mam?

Trodd ei phen o'r naill ochr i'r llall yn wyllt. Oedd o'n stelcian yna o hyd? Rhywle ychydig o'r tu ôl iddi efallai? Disgwyl i'w mam droi ei chefn, iddo gael llithro'n ôl a'i mygu o ddifrif y tro yma. Gafaelodd yn dynn ym mraich ei mam.

"Ble mae o, Mam? Ble mae o?"

"Wedi mynd, ngenath i. Ddaw o ddim yn ei ôl eto. Fe ofala i am hynny. Gorffwys rŵan. Gorffwys, mechan i."

Llaw dyner ei mam ar ei thalcen a'i llais yn furmur isel, cysurus uwch ei phen. Cysgodd yn dawel.

Agorodd ei llygaid i belydrau euraidd haul canol dydd ar y nenfwd. Crwydrodd ei llygaid yn araf a dibwrpas yma ac acw hyd y muriau i orffwys, o'r diwedd, ar wyneb ei mam wrth y ffenestr. Pam roedd hi yn ei gwely a sut y daeth ei mam i'r Hafod? Gorweddai llesgedd marwaidd ar ei synhwyrau a theimlai'n rhy flinedig i symud llaw. Dim ond gorwedd yno'n llipa a'r blinder yn carcharu'i chymal-au, a'i llygaid yr unig bethau byw a berthynai iddi.

"Mam!"

Roedd ei llais yn wan, aneglur ond cododd Mrs Rees ar unwaith a brysiodd at y gwely.

"Dyna ti wedi deffro, Mererid bach. Paid â phoeni, mae popeth yn iawn. Mi fuost ti'n wael am ychydig, dyna'r cyfan, ond rwyt i ar y ffordd i wella rŵan.''

Caeodd Mererid ei llygaid eto a llithrodd yn ôl i gwsg llonydd, adfywiol heb ddim o'r hunllef a'i poenodd y dyddiau gynt. Cwsg bendithiol oedd yn falm i gorff ac enaid.

"Diolch byth, mae'r gwres wedi'i gadael hi,'' meddai Nel Rowlands wrth edrych ar yr wyneb tawel ar y gobennydd. "Dos di am seibiant bach, Luned, neu mi fydd angen meddyg arnat titha' hefyd. Mi arhosa i yma efo hi.''

Deffrodd Mererid eilwaith i sŵn llais ei modryb.

"Rŵan, Mererid, paned bach o de a thamed o dost. Sut wyt ti'n teimlo?''

Aildrefnodd y gobennydd tu ôl iddi.

"Yli, ma' 'na ffrind ffyddlon wedi gorwedd wrth waelod y grisiau ers dyddiau i ddisgwyl amdanat ti.'' Agorodd y drws. "Tyrd i mewn, Taff.''

Cododd Mererid ar ei phenelin ac estyn ei llaw i'w fwytho.

"Taff bach, wyt ti wedi fy ngholli i?''

Llyfodd Taff ei llaw'n egnïol ac ysgwyd ei gynffon yn gyflymach.

"Dyna ti,'' meddai Nel Rowlands, "mi gaiff o aros yn y llofft am ychydig. Doedd dim modd ei gael o i symud o waelod y grisiau, ac mi sleifiodd y gwalch i fyny o dan y gwely fwy nag unwaith hefyd.''

Gorweddodd Mererid yn ôl ar y gobenyddion a bentyrrodd ei modryb y tu ôl iddi. Cymerodd damaid digon didaro o dost; doedd dim llawer o awch at fwyd arni, a gwenodd wrth weld llygaid Taff ynghlwm ar symudiad ei llaw.

"Isio tamed bach wyt ti? Hwda!"

Rhoes ychydig iddo, a bron heb yn wybod iddi'i hun, bwytaodd hithau ychydig dameidiau cyn suddo'n ôl yn gysglyd unwaith eto.

Fore trannoeth, deffrodd cyn i'w mam ddod i'r llofft. Gorweddodd yn dawel, ei llygad ar y nenfwd a'i meddwl yn crwydro tros ddigwyddiadau'r farchnad a'r cyfarfyddiad â Sioned. Rhywsut doedd dim o bwys iddi ar y funud honno. Gallasai ail-fyw'r hyn a ddigwyddodd heb deimlo'n ddigalon, yn union fel pe bai'r cwbl wedi digwydd i ryw berson arall, nid iddi hi.

Taflodd y dillad ymaith a rhoes ei thraed tros erchwyn y gwely. Safodd. O! roedd ei choesau'n grynedig a'i phen yn ysgafn. Cerddodd yn sigledig at y ffenestr a suddo'n ddiolchgar i'r gadair. Pwysodd ar sil y ffenestr ac edrych allan i'r rhos; symudodd ei llygaid tros yr aceri agored i orffwys ar furiau'r hen blasty. Astudiodd ef. Pam roedd o'n 'i denu hi gymaint? Ac eto aeth wythnosau heibio a hithau heb gerdded tuag ato. Roedd o'n nod yr oedd hi am ei gyrraedd ryw ddiwrnod yn y dyfodol. Pan fyddai hi'n barod. Ond wedi iddi gyrraedd y nod, beth wedyn? Ni wyddai.

Daeth sŵn pawennau Taff ar y grisiau a chrafiad ei ewinedd ar ddrws y llofft. Pwysodd ei drwyn arno i'w agor a rhedodd i bwyso'i ben ar ei glin. Mwythodd

Mererid ef a suddodd yn ôl yn ddioglyd i'w chadair. Roedd ei meddwl a'i chorff yn berffaith fodlon yno'n gorffwyso'n ddisymud; Taff yn gydymaith ffyddlon wrth ei thraed, a chynhesrwydd yr heulwen yn tywynnu arni trwy'r ffenestr.

———————

Cerddai Mererid ar hyd yr hen lwybr dafad a arweiniai'n igam-ogam rhwng y grug a'r brwyn i gyfeiriad yr hen blasty.

Dychwelodd ei mam i Gaer ers deuddydd bellach. Mam druan! Roedd yn gas ganddi adael yr Hafod, ond y fath ryddhad fu ei hymadawiad i Mererid.

Pam na allai hi fod fel Modryb Nel? Peidio â ffwsio a rhygnu ar yr un peth o hyd. Iâr un cyw yn poenydio, a holi, a pherswadio o fore hyd nos nes y teimlai Mererid fel taro'i dwylo wrth ei chlustiau a sgrechian, sgrechian i gau'r cwestiynau cariadus, pryderus ohonynt. Cariad oedd tu ôl i'r cyfan. Ond cariad a'i mygai; llinynnau cariad a'i caethiwai rhag ffoi'n ôl i dawelwch a llonyddwch ei meddyliau.

Sŵn traed ei mam ar y grisiau. Hithau'n eistedd wrth y ffenestr a'i dyrnau'n dalpiau caeëdig a nerfau brau yn dyndra annioddefol o'i mewn. Gadewch lonydd imi. Peidiwch ag yngan 'run gair. Fedra i ddim diodda rhagor. Llonydd. Llonydd ydw i'i isio.

A'r fath euogrwydd o deimlo fel hyn a'i mam wedi gweinyddu arni ddydd a nos. Mor falch oedd hi o'r llaw dyner a'r llais cariadus ynghanol yr hunllefau hynny. Mor ddiogel y teimlai hi yng nghysur ei breichiau yr adeg honno. Ail-ddyfodiad dyddiau plentyndod oedden nhw, a'i mam yn gallu gwella pob briw.

Ar wahân i'r briw yma, gwaeddodd ei chalon. Fedr neb drwsio'r archoll ofnadwy i'm hwyneb i. Maen nhw wedi ymdrechu ac wedi methu. Y meddygon a'r arbenigwyr hollalluog 'na yn yr ysbyty efo'u grafftio, a'u triniaethau a'u haddewidion gwag. Er y cyfan, yma y bydd hi am byth. A Mererid Rees, tegan rhag-luniaeth fympwyol, wedi'i nodi, fel un o ddefaid ei hewythr. Dydi o ddim yn deg, yn nac ydi? Pam dewis Mererid Rees?

Ond heddiw dyma hi yn rhyddid y rhos a rhyw ysgafnder wedi gafael ynddi. Roedd hi ar ei ffordd i'r hen blasty. Am gadw ei haddewid iddo o'r diwedd, am gyrraedd yr hafan a fu'n gysur iddi mewn hunllef a dyddiau gwella fel ei gilydd.

Rydw i ar fy ffordd! Cododd ei golygon i syllu tuag ato tros erwau eang y rhos a chiliodd ei hansicrwydd a'i hunandosturi wrth weld cadernid ei furiau ar y gorwel.

Beth rhagor oedd arni'i eisiau? Bryn a phant, gwên yr heulwen, dawns chwareus yr awel yng nghlychau'r grug, a phresenoldeb ffyddlon Taff wrth ei sawdl. Am y tro cyntaf ers y ddamwain teimlodd wir ysgafnhad i'w chalon.

Dilynodd y llwybr hyd at wal fylchog yr ardd a safodd i edrych o'i chwmpas. Estynnai'r gerddi i'r chwith a'r dde yn ddrysni toreithiog o harddwch a hagrwch lle cydymladdai rhosynnau a llwyni drain am fendith yr heulwen. Diflanasai'r gwelyau ffurfiol o flodau amryliw o dan ddrysni ysgall a danadl.

Gorweddai tawelwch breuddwydiol tros bopeth, yn

union fel pe buasai cerddediad amser wedi'i atal yn y fangre swynol hon. Ni pherthynai dim yma i'r byd swnllyd, cecrus, o'r tu allan. Treiddiodd y llonyddwch godidog i fêr ei hesgyrn a lleihaodd y trymder parhaol o'i mewn.

Cerddodd ymlaen heibio i'r llyn a dagwyd gan dyfiant lluosog a'r cerflun unig a safai yno heb ddiferyn o ddŵr, bellach, i fyrlymu o'i ddwylo. Distawrwydd a heddwch perffaith, dyna oedd yma, a hiraeth hefyd am y dyddiau gogoneddus a fu. Am fwstwr a bwrlwm morynion a gweision, cŵn a cheffylau, a cherbydau byddigions y plas yn clipclopian ar gerrig mân y fynedfa.

Cerddodd yn araf at y plas gan fwynhau crensian ei thraed ar y graean. Breuddwydiai pob deilen a blodeuyn yn yr heulwen; siglent yn ysgafn o dan gyffyrddiad yr awel a adroddai, ac ailadroddai, yr un neges o gwmpas yr ardd, "Croeso, Croeso."

Cyrhaeddodd at y drws mawr derw a'i ddolen haearn. Trodd y ddolen wichlyd a gwthiodd ef yn araf, ystyfnig ar agor; atseiniodd ei thraed ar lawr coed llychlyd y neuadd fel y symudodd ymlaen.

Edrychodd â phleser ar y nenfwd odidog a gerfiwyd ar ffurf bwa a'r patrymau lluosog yn chwyldroi i fesmereiddio'r llygaid. Edmygodd y grisiau llydan, hanner tro, a godai'n raddol i'r oriel uwchben a phaneli derw y muriau a wrthsafodd ddirywiad y blynyddoedd er y llwch a'r plastr a orweddai arnynt.

Agorai ddrws ar ôl drws a gweld rhyfeddodau newydd bob tro er gwaethaf yr esgeuluso a fu ar y plas. O! mae'n biti gen i drosot, meddyliodd Mererid wrth edrych ar leithder y muriau a'r caws llyffant a dyfai'n lluosog ar y plastr darfodedig. Sut y dest ti i hyn o'r gogoniant a fu?

Teimlodd groeso'r plas yn cau amdani; clywodd guriad ei galon fawr yn nhawelwch ei furiau a dychmygodd ail-fyw y bywyd moethus a fu ynddo flynyddoedd lawer yn ôl.

"Mi ddo i yma bob cyfle ga i," meddai wrthi'i hun gan dynnu'r drws mawr ar gau. "Tyrd, Taff, mi awn ni i gael seibiant bach yn yr ardd cyn cychwyn adra."

Ysgydwodd Taff ei gynffon yn ufudd wrth glywed ei llais. Roedd o'n fodlon ar unrhyw beth a benderfynai Mererid. Dilynodd hi'n ôl i'r ardd ac at fainc haearn rydlyd o flaen y tŷ. Eisteddodd Mererid arni a chaeodd ei llygaid yng ngwres yr haul.

Mor gartrefol y teimlai hi yma yng nghyffiniau'r hen blas. Roedd fel pe buasai popeth a ddigwyddodd iddi, y ddamwain, dyddiau hir yr ysbyty, ei salwch, wedi digwydd i rywun arall.

Eisteddodd yno rhwng cwsg ac effro yng ngwres yr haul. Munudau hir o ymlacio'n dawel, meddwl a chorff.

Daeth cyfarthiad sydyn Taff i'w deffro o'i phendwmpian cysglyd a chlywodd lais bachgen o'r tu ôl iddi.

"Hei, Taff, fel hyn rwyt ti'n cyfarch hen ffrind? Rhag dy gywilydd di. Tyrd yma mewn munud. O! Mererid, yntê? Mi glywais i Sioned yn sôn amdanat ti."

Ymsythodd Mererid yn ffyrnig ar unwaith. Sioned? Doedd hi ddim isio clywed sôn am y ferch honno, na thorri gair gyda 'run o'i ffrindiau chwaith. Gwyliodd yn eiddigeddus wrth i Taff neidio'n falch o

gwmpas y bachgen tal, gwallt melyn. Ei ffrind hi oedd
Taff. Doedd o ddim i gymryd sylw o neb yn y byd ond
y hi.

"Taff, tyrd yma,"· galwodd yn chwyrn a chododd
ar ei thraed i gerdded oddi yno.

Pwy oedd o yn 'i feddwl oedd o yn amharu ar
lonyddwch yr hen blasty ac yn dwyn sylw Taff oddi
arni? Ac yn ffrind i Sioned! Beth oedd honno wedi'i
ddweud amdani, wrtho ef ac wrth ei ffrindiau eraill?

"Na, na, paid â mynd," meddai'r bachgen.
"Tyrd imi gyflwyno fy hunan. Tudur Jones ydw i, yn
byw ym Mryn Eithin, tua milltir o'r Hafod. Rydw i'n
hen ffrindia' efo Taff, yn tydw i, was?"

Beth wnâi hi? Mynd a'i adael a'i thrwyn i fyny?
Petrusodd. Roedd o'n edrych yn fachgen dymunol a
hithau'n sydyn yn awyddus am gwmpeini o'r un oed
â hi ei hun.

Safodd yn amheus. A ddylai aros neu droi i ddianc
cyn iddo sylwi ar ei hwyneb? Petrusodd rhwng sefyll
ac eistedd. Daeth Tudur ymlaen at y fainc.

"O Gaer rwyt ti'n dod, yntê? Mi fûm i yno efo'r
ysgol y llynedd." Eisteddodd.

Pam nad aiff o oddi yma? Dydw i ddim yn barod i
siarad â neb dieithr. Ydi o wedi sylwi ar fy wyneb i?
Fydd ganddo ddim diddordeb mewn aros wedyn.

"Pa ddosbarth wyt ti yn yr ysgol? Pumed? Rydw
i'n disgwyl canlyniadau'r Lefel O cyn mynd ymlaen
i'r chweched dosbarth fis Medi. Gyda lwc, yntê!"

O dipyn i beth, anghofiodd Mererid y graith ym
mhleser y sgwrs. Teimlai'n gartrefol yng nghwmni
Tudur. On'd oedd o'n hoffi'r un pethau yn union â
hi? Yr un grŵp i ddawnsio iddynt, yr un awduron,

nofio, ac yn fwy na dim, unigrwydd y rhos. Ymlac-
iodd i siarad yn rhydd a theimlo cynhesrwydd yn ei
chalon wrth gyfarfod â llygaid Tudur.

"Fyddi di'n dod yma'n aml, Mererid? Hen blasty
godidog oedd o yn ei ddydd, medda' Taid. Mi fydda
i'n hoffi dod yma pan fydda i'n crwydro'r rhos.
Newid ar ôl yr arholiadau, yntê? Sut hwyl gefaist ti ar
arholiadau ddiwedd y tymor?"

Gostyngodd Mererid ei phen wrth gofio am y
graith unwaith eto.

"Chefais i ddim mo'u heistedd," meddai'n isel.

"O, mae'n ddrwg gen i, chofiais i ddim. Roeddet ti
yn yr ysbyty, wrth gwrs. O wel, ta waeth, mi gei dy
feirniadu ar waith y tymor."

"Ta waeth? Y ffwlbryn gwirion," carlamodd
meddyliau Mererid. "Ydi o'n meddwl ta waeth a
finna' efo'r wyneb hagr 'ma am byth?"

Neidiodd ar ei thraed a'i hwyneb yn goch gan
ddagrau.

"Mae'n ddrwg gen i, Mererid," meddai Tudur ar
unwaith wrth weld effaith ei eiriau. "Doeddwn i ddim
yn meddwl y geiriau fel'na. Meddwl dy fod yn lwcus o
gael gwaith y tymor fel safon oeddwn i."

Gafaelodd yn ei llaw am eiliad.

"Ffrindia' eto, Mererid?

Rhoes winc arni.

"Rhaid inni fod yn ffrindia', ysti, a Taff yn ddolen
gydiol rhyngddon ni. Mi fuaswn i'n ofni siarad efo ti
oni bai fod Taff yma. Roeddet ti'n edrych mor fawr-
eddog yma o flaen y plas, yn feistres y lle rywsut, a
finna' fel gwas bach wedi dod i balu'r ardd."

"Cer o'ma," chwarddodd Mererid gan fethu atal

ei chwerthin. "Ofn siarad efo geneth yn eistedd ar fainc rydlyd ac anialwch blynyddoedd o'i hamgylch hi?"

"Ia, rhyw gyw bach diniwed oeddwn i bob amser, medda' Dad."

Eisteddodd y ddau'n ôl ar y fainc yn gyfeillgar.

"Wyt ti wedi gweld y cwt pren, siâp pagoda wrth y llyn?" gofynnodd Tudur. "Naddo? Tyrd imi'i ddangos o iti. Yn y cefn mae o a'r rhododendron yn tyfu'n wyllt o'i amgylch."

Cerddodd y ddau'n araf heibio i dalcen y plas ac i'r ardd gefn. Arweiniodd Tudur hi trwy ddryswch yr ardd lysiau hyd at lwybr bychan a droellai'n igam-ogam rhwng y llwyni rhododendron. Er poethder y dydd, roedd yn llaith ac oeraidd yn eu cysgod, ac ni allai Mererid atal ias o gryndod wrth deimlo gostyng-iad y tymheredd yn sydyn ar ei chroen.

I ble yr oedd Tudur yn ei harwain hi? Ymddangos-ai'r llwybr yn ddiddiwedd, bron fel rhif wyth yn troi a throsi'n wastad i ddychwelyd yn ôl i'r un lle yn y diwedd.

Yn sydyn, agorodd y llwyni o'u blaen. Gorweddai llyn bychan, dirgel wrth eu traed â'r lili ddŵr yn doreithog ar ei wyneb. Llyn tawel a gysgai'n ddisymud o dan haul y prynhawn.

"O! mae o'n dlws."

Trodd Mererid i wenu ar Tudur a chamodd ymlaen i blygu a chwarae â'i bysedd yn ei ddyfroedd.

"Diolch iti am ddod â fi yma."

Ochneidiodd yn hapus a'i llygaid yn crwydro hyd y fangre gudd.

"Mae o'n berffaith, yn tydi?"

Gwenodd Tudur.

"Roeddwn i'n meddwl y buaset ti'n hoffi'r lle. Tyrd at y cwt Pagoda."

Cerddodd y ddau ar hyd y lan nes cyrraedd at fan agored lle'r oedd adeilad pren bregus. Safai yn llygad yr haul a'i ffenestri gwydr yn swyno'r poethder i'w du mewn. Flynyddoedd yn ôl, peintiwyd ef yn wyrdd y gwanwyn i ymdoddi â'r deiliach o'i amgylch, ond, erbyn hyn, ffarweliodd y paent â'i furiau, gan adael y pren noeth i waethaf y ddrycin.

Safodd Mererid yn ei ddrws a syllodd i mewn iddo. Ar y llawr yr oedd pentyrrau aflêr o sbwriel blynyddoedd; adfeilion cadeiriau haf; gweddillion dail hydref yn llaith er poethder y tymheredd, a thros y cyfan gorweddai arogl mws oedd yn bechod i'w ffroenau.

Ond er hynny, teimlai Mererid yr un dynfa swynol ag a deimlai tuag at yr hen blasty. Dau ddarn o'r cyfan oedden nhw. Eisiau rhywun i ofalu amdanynt yr oedd y ddau. Rhywun i garu'r muriau a'r gerddi unig ac i roi hunanbarch i'w calon fawr eto.

"Mi fuaswn i'n licio clirio'r cyfan oddi yma," ochneidiodd Mererid. "Brwsio'r llawr a chael gwared o'r sbwriel a'r gweddillion dail 'ma. O! mae o'n drueni gweld pethau yn cael eu gadael, yn tydi, Tudur?"

Nodiodd Tudur.

"Ydi," cydsyniodd. "Ond beth am i ni'n dau roi trefn ar y fan yma o leia."

Nodiodd eto a'i lygaid yn crwydro yma ac acw hyd y muriau bregus.

"Ia, wir. Hoelen neu ddwy i drwsio'r tyllau. Mae digon o goed sbâr yma, ac mi ddo i â brws y buarth i frwsio'r gwaethaf o'r sbwriel 'ma. Beth amdani, Mererid? Ddoi di?''

Nodiodd Mererid yn hapus. Yn sydyn, roedd pwrpas o'r newydd mewn bywyd a chyfle iddi dreulio oriau yng nghwmni y bachgen yma roedd hi'n teimlo mor gysurus gydag ef.

''Cyfrinach ni ein dau, a Taff wrth gwrs, Mererid.''

Eisteddodd y ddau ar y rhiniog i syllu ar dawelwch y llyn.

''Rhaid iti gyfarfod rhai o'r criw,'' meddai Tudur. ''Gwen a Delyth, Meic a Siôn. Mi fyddi di'n hoffi'r pedwar yna. Criw iawn ydyn nhw i gyd.''

Anesmwythodd Mererid wrth iddo sôn amdanynt. Pam roedd angen cyfarfod yr un ohonynt? Dim ond y hi a Tudur trwy'r gwyliau, dyna fuasai ei dymuniad pe cawsai gynnig. Ond yr oedd yn ormod i'w ddisgwyl. Edrychodd ar ei wats. Neidiodd ar ei thraed ar unwaith.

''O diar, mae'n rhaid imi fynd neu mi fydd Modryb Nel yn methu deall ble'r ydw i.''

Cododd Tudur hefyd.

''Mi ddo i efo ti. Waeth imi fynd adra heibio'r Hafod ddim. Tyrd, Taff.''

Gwenodd Mererid yn swil arno.

''Mi fydda i'n iawn fy hunan os ydi hi'n gynt iti ryw ffordd arall.''

''Cynt neu beidio, rydw i'n dŵad,'' meddai Tudur. ''Wyt ti ddim yn meddwl fy mod i am ffarwelio rŵan a finna' ond newydd dy gyfarfod? A phrun bynnag, dydyn ni ddim wedi gorffen trefnu at yfory eto.''

Llifodd gwrid i ruddiau Mererid am ennyd a throdd at y llyn i'w guddio. Gwyliodd ddawns yr heulwen ar ei wyneb am ychydig cyn troi i gychwyn yn ôl trwy'r rhododendron.

"Tydi'n resyn fod y lle 'ma wedi ei adael i ddirywio fel hyn, Tudur?"

"Rhy fawr ydi o i neb ei brynu, mae'n debyg," oedd ateb Tudur, "a gormod o gost i'w drwsio."

"Plasty hapus oedd o. Mi fedra i deimlo hynny," meddai Mererid.

Dringodd y ddau trwy'r bwlch yn wal yr ardd a cherdded y llwybr tua'r Hafod. Gorweddai hapusrwydd tros bopeth i Mererid. Doedd ots am ei hwyneb wedi'r cwbl. Wncl Les oedd yn iawn, roedd modd anghofio'r graith a chyfarfod cyfeillion hen a newydd heb falio dim.

"Yn fuan ar ôl cinio yfory," meddai Tudur, "a gwrando, beth am fynd â phicnic efo ni?"

Cyrhaeddodd y ddau i'r buarth.

"Hylo, Mr Rowlands, mi ddaru Mererid a minna' gyfarfod ar y rhos."

"Do wir?" meddai Les Rowlands a rhyw wên fach ar ei wyneb.

"Wel, mi wela i di 'fory, Mererid. Hwyl, rŵan."

Gwridodd Mererid o dan y difyrrwch yn llygaid ei hewythr.

"Hm, lle da ydi'r rhos 'ma am gariad, ysti. Ti a thithau mewn munud hefyd."

"Ond, Wncl Les, does neb ohonon ni'n galw 'chi' ar ein gilydd y dyddiau yma," protestiodd Mererid.

"Diar bach, on'd ydi'r oes wedi newid?" Ysgydwodd ei hewythr ei ben yn ddifrifol.

Trodd Mererid yn frysiog am y tŷ a chyrraedd yno i sŵn pwffian chwerthin ei hewythr fel y cerddai am y beudy. Y noson honno, am y tro cyntaf ers y ddamwain, aeth i'w gwely heb syllu ar hagrwch y graith yn y drych. Doedd dim ots amdani bellach, yn nac oedd?

Fe wawriodd bore trannoeth yn glir gydag addewid o boethder llethol yn ddiweddarach yn y dydd. Gor-weddodd Mererid yn fodlon o dan y dillad gan feddwl am y diwrnod o'i blaen. Fe ddeuai Tudur yn fuan ar ôl cinio, ac yr oedd yn edrych ymlaen am ei gwmni yn fwy na dim.

Diflannodd ei hunandosturi a'r cymhelliad i guddio'i hunan oddi wrth bobl yn yr hapusrwydd o gael ffrind i ymuno yn ei diddordebau. Cariad, fel yr awgrymodd ei hewythr? Gwenodd wrthi'i hun. Efallai. Ni allai atal yr hapusrwydd a lifai trosti wrth feddwl am y syniad. Roedd lle arbennig i Tudur yn ei meddyliau.

Cododd. Oedd, roedd am fod yn ddiwrnod ardderchog a'i chalon hithau'n canu wrth feddwl am ei dreulio yng nghwmni Tudur. Brysiodd i lawr y grisiau.

"Bore da, bawb."

Cododd Taff o'i guddfan o dan y bwrdd i'w chroesawu ac eisteddodd wrth ei thraed yn ôl ei arferiad, tra oedd yn bwyta'i brecwast.

"Bachgen hyfryd ydi Tudur," meddai Nel Rowlands. "Bachgen boneddigaidd bob amser a gair da iddo gan bawb. Rydw i'n falch dy fod ti wedi'i gyfarfod o. Mae o'n gwybod am bob rhan o'r rhos 'ma, ysti."

"Ydi, a ma' fo'n fachgen del yn y fargen hefyd," meddai Les Rowlands yn slei.

Edrychodd Mererid ar ei phlât.

"Paid ti â chymryd sylw o rwdl dy ewythr," meddai Nel Rowlands. "Mwynha di dy hunan. Mi ddaw amser ysgol ddigon buan. Rŵan, mae yna ddigon o gig oer i wneud brechdanau cig ichi, a theisen frith yn y tun hefyd. Mi wna i ddigon ichi eich dau."

Fe gyrhaeddodd Tudur yn fuan ar ôl cinio a chychwynnodd y ddau ar hyd y cae glas ac i fyny am y rhos. Rhedai Taff o'u blaen a'i drwyn ynghlwm yn yr arogleuon rhyfeddol yma ac acw o bobtu'r llwybr.

"Mi biciais i i'r cwt Pagoda gyda'r bag twls y bore 'ma," meddai Tudur, "ac mi gefais fenthyg brws y buarth hefyd, ond imi gofio mynd â fo'n ôl heno. Roedd Dad yn methu deall i beth oeddwn i'i isio fo, ond cyfrinach ydi hynny, yntê?"

"Wnes inna' ddim dweud wrth Modryb Nel chwaith," meddai Mererid, "ond mi fuaswn i'n hoffi mynd â hi yno wedi inni gael y lle i drefn. Mi fuaswn i'n medru treulio pob dydd yn yr hen blasty. Fedra i mo'i esbonio fo ond mae rhyw swyn arbennig i mi ynddo. Efallai am fy mod i gymaint o angen cysur pan ddes i yma. Roedd o'n edrych mor gadarn a thawel ar y rhos, a finna' mor ddigalon."

Heb yn wybod iddi'i hun rhwbiodd y graith o'i thrwyn i'w thalcen fel y siaradai. Rhoes Tudur ei fraich am ei hysgwyddau a'i throi i'w wynebu.

"Mererid, . . ." dechreuodd.

"Ww-wh!"

Daeth galwad o'r tu ôl iddynt. Gostyngodd Tudur

ei fraich a throdd y ddau i gyfeiriad y llais. Prysurai Sioned tuag atynt. Suddodd calon Mererid a theimlodd ias o oerni'n gafael ynddi fel petai cwmwl rhyngddi a'r haul godidog uwchben—y brycheuyn cyntaf ar ddiwrnod perffaith.

"Mi welais i chi ar derfyn y rhos," galwodd Sioned.

Llithrodd ei golwg tros Mererid i sefydlu'n wendeg ar Tudur.

"Ddywedaist ti ddim wrtha i dy fod yn bwriadu dod i fyny yma, a finna'n dod acw'n un swydd i chwilio amdanat ti. Pethau preifat i'w trefnu, yntê."

Edrychodd o'i chwmpas.

"Wyt ti'n cofio'r hwyl gawsom ni yma'r llynedd?"

Gafaelodd ym mraich Tudur fel pe buasai'n berchennog arni a throdd at Mererid.

"Mae Tudur a minnau'n *hen* ffrindia' wrth gwrs. Rwy'n gweld eich bod yn gwella, Mererid, a mae ei hwyneb yn well hefyd, yn tydi, Tudur?"

Ni chlywodd Mererid ateb Tudur. Teimlodd y digalondid yn cau amdani eto. Yn union fel roedd hi'n dechrau anghofio hefyd. Pam roedd yn rhaid i Sioned ddod i ddifetha'r diwrnod perffaith hwn? Doedd hyd yn oed y rhos 'run fath wedi iddi hi ddod arno. A Tudur? Beth oedd o'n 'i feddwl?

"I ble'r ydych chi'n mynd?" gofynnodd Sioned.

"Roedden ni'n meddwl mynd i'r hen blasty, yn doedden, Mererid?"

"O, na," meddyliodd Mererid, "paid â dweud wrthi am y llyn bach o dan y coed a'r Pagoda ar y lan. Dydw i ddim isio Sioned yn agos i'r lle. Ein cyfrinach ni ydi o."

"Yr hen blasty? Ych a fi! Hen le llychlyd, afiach fel'na. Na, mi wn i am le gwell o lawer. Wyt ti'n cofio ni'n mynd uwch ben yr hen chwarel Tudur, y chdi a fi, Mair a Derwyn?"

Cipedrychodd â chil ei llygaid ar Mererid.

"Y diwrnod hwnnw pan wnes i sigo'n ffêr a titha'n gafael amdana i yr holl ffordd adra. Ond roeddwn i'n gwybod fy mod i'n berffaith saff yn dy ofal di."

Trodd ei chefn ar Mererid a gwnaeth ymdrech ben-derfynol i feddiannu holl sylw Tudur.

"Rydw i'n edrych ymlaen at y rali, wyt ti? Rydyn ni fel criw yn cael digon o hwyl bob amser. Dim ond y pedwar ohonom ni, yntê?"

"Pedwar! Pymtheg o leia y flwyddyn ddiwetha," atebodd Tudur yn sych. Trodd at Mererid.

"Tybed a fuaset ti'n hoffi dod efo ni eleni?" gofyn-nodd.

Saethodd Sioned gipolwg sur i'w chyfeiriad.

"Dydi rali ffermwyr ieuanc o ddiddordeb yn y byd i rywun fel Mererid yn byw yn y dre, a fydd gan yr un ohonom ni amser i'w dreulio efo hi a chymaint o gystadlaethau ar dro." Aeth ymlaen yn syth. "O, Tudur, cofia fod ymarfer y dawnsio gwerin nos yfory. Rydw i wedi dweud wrth Miss Jones mai ti yw fy mhartner i. Mae pawb yn dod i Tŷ Rhos i swper wedyn."

Arafodd Mererid a cherddodd yn ddistaw o'r tu ôl iddynt yng nghwmpeini Taff. Doedd arnyn nhw ddim angen ei phresenoldeb hi. A hithau wedi deffro mor falch y bore 'ma, ac wedi gweu breuddwydion a dymuniadau ofer a Tudur yn gnewyllyn iddynt.

Tybed a oedd Tudur a Sioned yn gariadon? Rhwbiodd y graith ar ei hwyneb yn ddigalon.

Eisteddodd y tri i orffwys uwchben yr hen chwarel. Roedd yn rhaid cyfaddef bod golygfa ardderchog oddi yno, acer ar ôl acer o dir agored y rhos yn ymestyn am filltiroedd i'r gorwel, a'r hen blasty yn ei ogoniant yn haul hwyr y prynhawn. Ond am Sioned, doedd ganddi hi ddim diddordeb yn yr olygfa. Rhwng tameidiau bychan o fwyd siaradodd yn ddi-dor a philsen guddiedig ymhob un o'i geiriau.

"Ydych chi wedi cysidro newid steil eich gwallt, Mererid? Rhywbeth i guddio ychydig mwy ar yr wyneb. Mae gen i lyfr o ffasiynau newydd. Croeso ichi gael ei fenthyg. Rydych chi'n ddewr iawn yn medru wynebu pobl ar ôl y fath ddamwain."

Gwnaeth osgo bach hunanfeirniadol ffals.

"Wn i ddim be' fuaswn i'n 'i wneud. Cuddio fy hunan am wn i. Wir, rydw i'n eich edmygu yn troi allan fel hyn."

"Tydi pawb ddim mor llwfr ei galon," atebodd Tudur yn sych. "Prun bynnag, dydw i'n gweld dim o'i le ar wyneb Mererid."

Gwelodd Sioned iddi fentro'n rhy bell a phrysurodd i ymddiheuro'n wendeg.

"Wel na, wrth gwrs, doeddwn i ddim yn ei feddwl fel'na. Ceisio dweud mor ddewr oeddwn i'n gweld Mererid oeddwn i, a hithau wedi bod yn wael a phopeth. Yn llawer mwy dewr na fuaswn i yn yr un amgylchiadau. Ond dyna fo, fu gen i erioed frycheuyn ar fy wyneb, yn naddo, Tudur, felly fedra i ddim siarad o brofiad."

"Paid â siarad trwy dy het 'ta," gorchmynnodd Tudur.

Pwysodd ei law ar fraich Mererid am ennyd a gwenodd arni. Ysgafnhaodd calon Mererid ychydig. Oedd o'n meddwl yr hyn a ddywedodd o ddifri? Dim o'i le ar ei hwyneb? Na, geiriau calon garedig oedden nhw, yntê?

Trodd Sioned gyrlen felen o gwmpas ei bys ac edrych o dan ei hamrannau ar Tudur.

"Beth am ddawns y clwb nos Sadwrn, Tudur? Mae'r criw i gyd am fynd."

"Os y daw Mererid," oedd yr ateb swta.

Saethodd Sioned gipolwg maleisus ar Mererid.

"O wel, os ydi hi am fentro, wrth gwrs."

Cododd ar ei thraed.

"Wel, mi a i adra. Mae gen i isio mynd i'r pictiwrs yn y dre heno efo Mair. O ia, neges gan dy fam. Mae isio iti fynd adra erbyn chwech."

"Chwech? Pam na fuaset ti'n dweud yn gynt? Mae'n hanner awr wedi pump rŵan."

"Wel, mae'n well iti ddod efo mi felly, yn tydi?" Gwenodd ar Mererid. "Mi fyddwch chi'n iawn yn byddwch, Mererid, a chitha' wedi arfer crwydro'r rhos eich hunan?"

Safodd Tudur yn frysiog.

"Na, mi ddo i efo ti, Mererid. Os brysiwn ni, mi fedra i fynd heibio'r Hafod a chyrraedd adra erbyn hanner awr wedi chwech."

"Chwech pendant, a dim munud hwyrach ddeudodd dy fam," sylwodd Sioned.

"Mi fydda i'n iawn, Tudur," meddai Mererid yn dawel. "Dos di efo Sioned."

"O! Tyrd yn dy flaen, Tudur, da ti," gorchmynnodd honno'n ddiamynedd. "Paid â thrin Mererid fel plentyn bach. Mae hi wedi dweud wrthyt ti y bydd hi'n berffaith iawn ar ei phen ei hun."

Trodd a chychwyn i ffwrdd. Gafaelodd Tudur yn llaw Mererid.

"Mae'n ddrwg gen i am hyn," meddai. "Roeddwn i'n gwybod ein bod ni'n mynd i weld Nain yn yr ysbyty heno ond wyddwn i mo'r amser. Fe ddo i draw 'fory. Mi gawn ni fynd at y llyn yr adeg honno."

Nodiodd Mererid heb ddweud gair. Gwyliodd hwy'n cerdded oddi wrthi; Sioned yn chwerthin a siarad a dodi ei llaw ar fraich Tudur bob hyn a hyn, gan smalio bod angen ei gymorth arni i gerdded y llwybr. Treiddiodd ei llais i'w chlustiau, yn fwriadol, wrth gwrs, o'r pellter.

"On'd oes golwg ar 'i hwyneb hi mewn difrif? Wedi crebachu i gyd un ochr. Ych â fi!"

Clywodd lais isel, ffyrnig Tudur yn ei hateb ond ni ddeallodd ei eiriau. Rhedodd cryndod trwyddi. Rhywsut, er poethder yr haul, roedd y byd o'i chwmpas yn oer ac anghyfeillgar. Pwysai unigrwydd arni eto a chuddiwyd glesni hapusrwydd y bore gan lwydni digalondid y prynhawn. Sut y medrai hi fagu croen gwydn i bethau fel hyn? Fe wyddai fod Sioned yn elyn iddi o achos Tudur. Cenfigennus oedd hi ac eisiau dal ei gafael yn Tudur.

Ond er iddi ddeall y rheswm tu ôl i'w geiriau ni allai ymgodymu â nhw. Roedden nhw'n brifo gormod, yn union fel pe buasai rhywun yn ei thrywanu, a rhyw delpyn bach ohoni'n marw bob tro hefyd. Ofni eu bod yn wir yr oedd hi. Nid geiriau di-sail oedden nhw.

Roedd yna olwg ar ei hwyneb hi. *Roedd* o wedi crebachu i gyd un ochr.

Teimlodd bawen Taff ar ei choes ac ysgydwodd ei hunan.

"Ia, Taff bach, tyrd inni fynd."

Heb yn wybod iddi'i hun bron, trodd ei chamre am yr hen blasty. Fel y cyrhaeddai ato, teimlai falm ei gadernid arni ac agorodd ei ddrws yn ddiolchgar i sefyll yn nistawrwydd ei neuadd. Eisteddodd ar y grisiau. Dyna siom fu'r diwrnod iddi. Fe lwyddodd Sioned i ddifetha popeth. A hithau wedi adeiladu cymaint ar ei chyfeillgarwch â Tudur, wedi ei weld yn garreg filltir, a hithau'n gadael yr atgasedd a'r hunan-dosturi, yr encilio a phopeth arall, ac yn dechrau wynebu'i bywyd unwaith eto, yn casglu'r darnau chwilfriw a chychwyn ar y llwybr hir yn ôl.

Dydi o ddim yn deg, gwaeddodd ei meddwl. Pam na cha i lonydd i ailadeiladu fy mywyd heb rhyw hen fitsh fel Sioned i sbwylio popeth imi? *Pam?*

Caeodd ei llygaid yn flinedig a llithrodd y dagrau araf o dan ei hamrannau. Waeth imi heb â thrio, meddyliodd yn ddigalon. Mae fy mywyd i wedi gorffen. Pa iws meddwl am yrfa yn y coleg a mynd yn athrawes? Chwerthin am ei phen wnâi pawb mewn coleg ac ysgol. Pa siawns oedd ganddi i gyfarfod neb i'w briodi a'i hwyneb hi mor hagr?

Suddodd i bwll o ddigalondid. Llithrodd awr heibio heb iddi sylweddoli. O'r diwedd, cododd a chychwynnodd am yr Hafod.

Wedi iddi gyrraedd, roedd un golwg ar ei hwyneb yn ddigon i ddangos i Nel a Les Rowlands nad oedd pethau'n iawn.

"Wel, gefaist ti ddiwrnod go lew?" gofynnodd ei modryb yn bryderus.

"Do, diolch."

Ymdrechodd Mererid i guddio'i dagrau. Trodd ei chefn arnynt a smalio datod y bag picnic.

"Mi fuon ni at yr hen chwarel."

"Chwarel? Ond roeddwn i'n meddwl mai at Plas Goronwy roeddech chi'n mynd."

Ni welai Mererid ddim trwy'i dagrau.

"Roedd Sioned efo ni hefyd. Fe aeth Tudur adra efo hi. Roedd o i fod yn ôl erbyn chwech, medda' Sioned. Doedd waeth iddo heb â dod yn ôl y ffordd hyn, yn nac oedd?"

"Sioned?"

Edrychodd Les Rowlands a'i wraig ar ei gilydd. Yna, prysurodd Nel Rowlands at y stof. Dyna'r ateb i'w phryder, yntê? Sioned oedd achos yr olwg gaeëdig yna ar wyneb Mererid.

"Y peth bach," meddyliodd Nel Rowlands. "Un gnoc ar ôl y llall a finna'n codi 'nghalon yn ei chylch hi hefyd."

Symudodd y tecell yn swnllyd i fynegi maint ei theimladau.

"Eistedd wrth y bwrdd, mechan i. Mae'n siŵr dy fod ti bron â llwgu erbyn hyn. Yli, mae 'na bei bacwn a thatw i swper."

"Na, dydw i ddim isio bwyd, diolch," atebodd Mererid. "Ma' cerdded y rhos wedi fy mlino i. Mi a i i fy ngwely, rwy'n meddwl."

Deffrodd Mererid yn gynnar fore trannoeth. Gorweddodd yno'n ddisymud a'i llygaid yn sefydlog ar y nenfwd uwchben. Fuasai'n damed gwaeth ganddi aros yno heb symud cymal am byth.

Ond yr oedd yn rhaid iddi godi. Doedd o ddim yn deg ag Wncl Les a Modryb Nel i aros yma'n boddi mewn hunandosturi.

Cododd ar ei heistedd. Cynorthwyo'i hunan ddywedodd Wncl Les y diwrnod hwnnw yn y farchnad, yntê? Magu croen gwydn a phenderfyniad yn wyneb anawsterau. Ond sut y gwnâi hi hynny a'i chalon yn delpyn trwm o'i mewn?

Sawl Sioned a gyfarfyddai hi mewn bywyd? Sawl pigiad o dan groen i'w ddioddef?

Aeth at y ffenestr. Bore llwydaidd, niwlog oedd hi a chymylau isel, trwchus yn cuddio'r rhos a'r hen blasty cadarn yn y pellter. Bore yn union fel ei theimladau hi. Gwisgodd a cherddodd i lawr y grisiau.

"Bore da, Wncl Les, bore da, Modryb Nel."

Eisteddodd yn ddifywyd wrth y bwrdd brecwast a chyrhaeddodd am y paced creision ŷd. Beth wnâi hi gyda'r diwrnod a estynnai mor ddibleser o'i blaen? Darllen? Sgrifennu at ei rhieni? Mynd am dro yn y glaw efo Taff? Ddeuai Tudur ddim heddiw a hithau'n law mân a niwl fel hyn. Ddeuai o o gwbl?

Canodd cloch y teliffon o'r lobi a phrysurodd ei Modryb i'w ateb.

"Hylo, Garmon 392. O, hylo, Tudur, y ti sydd yna. Ydi, ma' hi wedi codi. Dal y lein, mi alwa i arni hi rŵan."

Llamodd calon Mererid wrth glywed geiriau ei Modryb. Tudur! Roedd o wedi cofio amdani, beth bynnag ddywedodd Sioned.

"Ma'r cariadon 'ma'n codi'n fore, yn tydyn?" sylwodd ei hewythr. "Methu disgwyl am gael clywed dy lais di, debyg."

Rhoes winc ar Mererid fel y cododd ar alwad ei Modryb.

"Paid ti â phryfocio gormod arni, Les bach," rhybuddiodd Nel Rowlands yn ddistaw. "Fuaswn i'n mynnu am y byd iddi gael siom. O! roedd yn biti o galon gen i drosti neithiwr. Beth bynnag a ddigwyddodd ar y rhos 'na ddoe, roedd o'n ergyd drom iddi'r peth bach. A hitha' mor hapus yn cychwyn hefyd."

"Fedrwn ni mo'i gwarchod hi rhag pob siom, Nel bach. Y hi ydi'r unig un fedr orchfygu'i hanawsterau, ac os nad ydw i'n camgymryd, y Sioned 'na ydi'r mwya ohonyn nhw ar hyn o bryd."

Cododd Mererid y derbynnydd yn y cyntedd.

"Hylo."

"Hylo, Mererid, Tudur sydd 'ma. Wnest ti gyrraedd adre'n iawn ddoe? Roedd yn ddrwg gen i orfod dy adael i gerdded yn ôl dy hunan. Wyt ti am ddod allan heddiw?"

"I ble'r awn ni yn y glaw?"

"Mae o'n siŵr o glirio cyn hanner dydd, medda Dad, ac mae o'n broffwyd tywydd pur dda. Ond waeth am y glaw, Mererid, mi fedrwn ni ddechrau ar y cwt 'run fath, ysti. A gwrando, mae disco yn neuadd y dre nos yfory. Ddoi di?"

Disco? Ei hoff bleser hi! Ond fedrai hi gyfarfod y criw heb falio am ei hwyneb? A beth am Sioned a'i geiriau atgas? Petrusodd.

"Wn i ddim . . ."

"Tyrd, mi fyddi wrth dy fodd yn cyfarfod y criw.

70

Wnei di ddod yno'n sbesial efo mi?''

Curodd calon Mererid am eiliad. Mynd yn sbesial gyda Tudur? Oedd o am iddi fod yn gariad iddo? Na, paid â chamu'n rhy fras, Mererid, rhybuddiodd ei hunan. Caredig ydi o, dyna'r cwbl, ac am iti fwynhau'r amser yma yn yr Hafod.

''Hei, ble'r wyt ti? Chefais i air o ateb. Wyt ti ddim yn hoffi'r syniad o ddod efo mi?''

''O na, ddim dyna sydd. Ond, Tudur,'' petrusodd cyn mynegi'i hofn, ''Beth am Sioned?''

''Sioned? Beth sydd am Sioned?''

''Wel, mae hi'n ffrind iti ac yn dy adnabod ymhell o fy mlaen i. Efalla' ei bod hi'n disgwyl . . .''

''Mererid Rees, beth sydd arnat ti? I *ti* ydw i'n gofyn, nid i Sioned. Genethod!'' meddai'n llidiog. ''Dydyn nhw byth yn dweud ia neu nage'n syth fel ni'r bechgyn!''

Cododd bwrlwm o chwerthin ym mynwes Mererid. Teimlai mor ysgafn â phluen a'i chorff yn hofran rywle rhwng y llawr a'r nenfwd.

''Wrth gwrs, fe ddo i,'' meddai, ''a diolch iti am ofyn imi mor neis, Tudur Jones.''

Wedi trefnu am y prynhawn, aeth Mererid yn ôl i'r gegin.

''Ma' Tudur wedi gofyn imi fynd efo fo i'r disco yn neuadd y dre nos fory, Modryb Nel. Mi fydd yn iawn imi fynd, yn bydd?''

''Bydd yn neno'r tad. Fe gaiff dy ewythr fynd â chi, a'ch nôl hefyd o ran hynny.''

''Dydi wiw i ddyn ddweud dim wedi i chi'r merched drefnu petha','' meddai Les Rowlands.

"Cau ein ceg ac ufuddhau, dyna ydi'r cyngor gora'
pan fydd y wraig yn feistr."

Chwarddodd ei modryb.

"Ia, siŵr," meddai'n gyfforddus, fodlon. "Mi
fydda i'n dweud ma' merched ddyla' reoli'r byd 'ma.
Ydi Tudur yn dŵad draw heddiw, Mererid?"

Gwridodd Mererid er ei gwaethaf o dan lygaid
diniwed ei hewythr.

"Tua hanner dydd os y gwnaiff hi godi, medda fo.
Mae ei dad yn sicrhau y bydd y glaw wedi atal erbyn
hynny."

"Ia, proffwyd go lew ydi'r hen Waltar," meddai
Les Rowlands. Trodd yn ddifrifol at ei wraig.
"Duwcs, waeth inni roi llety i Tudur ddim. Mae o'n
byw a bod yma fel y ma' hi."

Fel y proffwydodd Walter Jones, fe gliriodd y
cymylau ychydig cyn hanner dydd, a phan gyrhaedd-
odd Tudur i'r Hafod roedd heulwen siriol ar fryn
unwaith eto.

"Dyma chi eich dau," meddai Nel Rowlands.
"Pecyn bach i'w fwyta rhag ofn y byddwch yn hwyr
cyn dod yn ôl. A chofia, Tudur, mi fydd yna swper yn
dy ddisgwyl. Paid ti â dianc gartre hebddo, rŵan."

Dringodd y ddau i'r rhos a cherdded yn araf tuag at
yr hen blasty. Doedd yna frys yn y byd i gyrraedd yno
a dechrau ar y gwaith o glirio'r cwt ar lan y llyn. Mor
felys oedd y munudau yng nghwmni ei gilydd, melys
y sgwrs a'r dadlau ysgafn, melys gyffyrddiad llygad
wrth lygad a'r gafael llaw weithiau ar lwybr
anwastad.

Dyheai Mererid am ymestyn yr oriau diofal, hapus
hyn i'r dyfodol pell,—am byth! Y hi a Tudur, a Taff

72

wrth eu sodlau'n cydgerdded llwybr bywyd. Gweai batrwm y dyfodol yn freuddwydion disglair iddi'i hun, yn gestyll arian na ddymchwelent fyth i'r llawr.

Cyrhaeddodd y ddau at wal fylchog yr ardd, ac aros yno am eiliad i edrych yn ôl ar erwau'r rhos o dan eu mantell heulog.

"Ymm!" ochneidiodd Mererid yn fodlon. "Does unlle yn debyg i'r rhos a'r hen blasty, yn nac oes?" Craffodd i'r pellter. "Yli, ma' rhywun arall yn mwynhau cerdded y rhos hefyd. Weli di, draw yn y fan acw? O! mae o wedi mynd."

"Welais i neb," meddai Tudur gan graffu i'r un cyfeiriad. "Ychydig iawn o ddieithriaid sy'n cyrraedd i fyny yma. Mae'n well ganddyn nhw anelu am lan y môr, Llandudno a Bae Colwyn fel rheol."

Trodd y ddau i ddringo trwy'r bwlch er mwyn cyrraedd y plas o gyfeiriad yr ardd gefn, o dan y rhododendron ac am y llyn. Cysgai popeth yn dawel yno, a haul tesfawr y prynhawn yn llonyddu'r lili'n llipa ar wyneb y dyfroedd.

"Wel, rŵan amdani," meddai Tudur gan gyrchu ei fag twls o'r cwt. "Mi gei ditha' frwsio ychydig ar y llawr a chlirio ychydig o'r llanastr 'ma. Galw os y byddi di angen cymorth."

Yn fuan daeth sŵn curo morthwyl i ddiasbedain uwch tawelwch y llyn a chododd Mererid gymylau o lwch yn ei hymdrechion i lanhau ychydig ar y tu mewn. Ond wedi rhyw ddwyawr o weithio caled roedd y ddau'n berffaith fodlon ar yr hyn a wnaethant. Eisteddodd y ddau i orffwyso a bwyta'r brechdanau o'r pecyn ar lan y llyn.

"Hwda, Taff," gwaeddodd Mererid, "tyrd i nôl tamaid."

Cododd Taff o'r cysgod a chychwynnodd tuag atynt. Safodd yn sydyn a'i lygaid yn sefydlog ar lecyn deiliog wrth y llyn.

"Tyrd, was," galwodd Mererid eto.

Gydag un edrychiad craff arall i'r un lle, ufudd-haodd y ci a chartrefodd wrth eu traed i fwyta pob tamaid a ddeuai i'w ran.

"Efalla' y medrwn ni ddod â chlustogau a chadeir-iau ha' yma," meddai Mererid. "Mae hi mor braf yma, yn tydi? Lle iawn i eistedd a thorheulo hefyd, wyt ti ddim yn cydsynio? Wn i ddim pa un ydi'r gorau, gardd y plas ynte ar lan y llyn yma."

"Mae gen i stof wersyllu," meddai Tudur. Trodd ati'n sydyn. "Wedi iti adnabod y criw, beth am eu cael nhw yma am bicnic efo ni?"

"O, na," meddyliodd Mererid, "nid Sioned, o na! Ein cyfrinach ni ein dau ydi'r fan hyn."

Ni ddywedodd air a chipedrychodd Tudur arni. Plygodd ymlaen i ddodi ei law ar ei braich.

"Nid ar unwaith, ysti, ac nid pawb chwaith. Gwen a Delyth, Meic a Siôn, y nhw ydi fy ffrindia' penna' i. Mae digon o hwyl i'w gael efo nhw bob amser."

Gwnaeth Mererid ymdrech benderfynol i ymuno â'i drefniadau. Pa ddiben disgwyl i Tudur fodloni ar ei chwmni hi'n unig trwy gydol y gwyliau? Wrth gwrs, roedd o am gyfarfod ei ffrindiau hefyd.

"Rydw i'n hunanol," meddyliodd, "am ei hawlio i mi fy hun yn gyfan gwbl. Wnaiff hi mo'r tro felly. Ond beth mae'i ffrindiau am 'i feddwl ohono i?"

Cododd ar ei thraed.

"Mae'n amser inni fynd, yn tydi? Cofia fod swper Modryb Nel yn aros wrthyn ni."

Am ennyd hir wedi i'w cerddediad ddistewi i gyfeiriad y plas, ni symudodd dim o amgylch y llyn. Yna cynhyrfodd y deiliach trwchus a cherddodd Sioned i'r amlwg. Plygodd i chwalu'r glaswellt crin a lynai i'w dillad cyn syllu'n wgus ar eu hôl. Cerddodd yn araf at y cwt pren a chroesodd y rhiniog i edrych yn haerllug o'i mewn.

"Tŷ bach chwarae plant," wfftiodd yn sarrug. "Os wyt ti'n meddwl ei ddenu fo gyda phethau fel hyn, Mererid Rees, rwyt ti'n gwneud camgymeriad o'r mwya. A pha fachgen yn ei lawn synnwyr fuasai'n edrych ar eneth wyneb Draciwla. Dyna beth sydd gen ti, ac mi ofala i na wnei di anghofio hynny hefyd."

Rhoes gic sydyn i chwalu'n aflêr y pentwr o fân goediach a ddododd Mererid yn ddestlus gyda'i gilydd, cyn troi oddi yno'n wgus.

"Cynlluniau ofer fyddan nhw tra y bydda i yma i'w rhwystro."

———————

Y noson ganlynol, arafodd Les Rowlands ei Land Rover o flaen neuadd y dre.

"Wel, dyna chi eich dau. Mi fydda i'n ôl yma tua un ar ddeg."

Gwrandawodd ar gryfder curiad parhaol y miwsig o'r tu mewn.

"Wn i ddim sut y medr neb ohonoch chi fwynhau ffasiwn sŵn chwaith. Mi fydd pob copa walltog ohonoch chi'n fyddar cyn cyrraedd eich hanner cant.

Ond dyna fo, pawb at y peth y bo." Cychwynnodd y peiriant. "Un ar ddeg, felly."

Safodd Mererid a Tudur wrth ddrws y neuadd. Curai calon Mererid bron mor uchel â'r miwsig o'r tu mewn, a symudai ei dwylo trwy'i gilydd yn nerfus. Sut yr âi hi i mewn? Gafaelodd Tudur yn ei llaw a'i gwasgu i'w chysuro.

"Tyrd yn dy flaen, Mererid. Y cam cynta ydi'r gwaetha, ysti. Cofia, rydw i efo ti."

Ffrwydrodd y miwsig yn eu clustiau fel yr agorodd Tudur y drws. Fflachiai goleuadau amryliw uwchben, a deuai sŵn di-dor o'r seinydd ar y llwyfan. Roedd y rhan fwyaf o'r cadeiriau o gwmpas y muriau yn llawn o fechgyn a genethod, a phawb yn sgwrsio orau a fedrent uwch curiad y miwsig. Ond prin iawn oedd y dawnswyr ar y llawr mor fuan ar y noson.

"Tyrd i'r pen draw acw i gyfarfod y criw," meddai Tudur.

Cerddodd y ddau ar draws y llawr. Teimlai Mererid gryndod nerfus ei choesau fel y dychmygai lygaid pawb arni, ond cerddodd ymlaen, law yn llaw â Tudur, a'i phen yn uchel. Mor falch oedd hi fod Tudur yno wrth ei hochr.

"Wel, griw, dyma Mererid sy'n aros yn yr Hafod. Gwen, Delyth, Meic a Siôn." Cyflwynodd y pedwar iddi.

"Hylo, sut wyt ti, Mererid. Estyn y gadair iddi, Meic," gorchmynnodd Delyth gyda gwên gyfeillgar.

Estynnwyd cadeiriau ymlaen ac ymunodd y ddau â'r pedwar wrth y bwrdd. Fe hoffodd Mererid Delyth a Gwen ar unwaith. Dwy eneth ddigon dirodres a'r ddwy yn debyg iawn i'w gilydd o ran gwedd. Gwallt brown yn y steil ddiweddaraf, llygaid brown dan eiliau siapus, cyrff tenau lluniaidd. Oedden nhw'n ddwy chwaer, tybed?

Rhoes Mererid ochenaid o ddiolch nad oedd Sioned a'i ffrind yno y munudau cyntaf yma. Roedd hi'n falch o gael cyfarfod y gweddill ohonyn nhw ac ymgartrefu ychydig cyn wynebu gelyniaeth sicr y ferch sbeitlyd honno.

"Dewr, rhaid imi fod yn ddewr," meddyliodd, "a pheidio â malio beth ddywed hi."

"Wyt ti'n mwynhau dy wyliau, Mererid?" gofynnodd Siôn. "Bywyd y wlad, does dim tebyg iddo, ychi."

"Pam wyt ti mor fachog i'w gwadnu hi am Lerpwl 'ta?" gofynnodd Delyth yn ddiniwed. "Dweud un peth a meddwl rhywbeth arall wyt ti'r gwalch."

"Paid ti â beio gormod," oedd yr ateb parod, "neu ddo i ddim ag anrheg iti o'r dre fawr eto."

Trodd Delyth at Gwen gan chwerthin.

"Glywaist ti hynna mewn difri. Anrheg o Lerpwl? Bar o siocled, dyna oedd fy anrheg ddiwetha' i. Dim amser i droi yn y dre fawr, medda fo. Ydi bechgyn Caer fel'na, Mererid?"

Neidiodd Siôn i siarad cyn iddi gael ateb.

"Rŵan, llaw ar dy galon, ar dy lw, Mererid, dydyn nhw ddim yn yr un cae â ni, yn nac ydyn?"

"Ddoi di i ddawnsio cyn iddi fynd yn dân gwyllt yma, Mererid?" gofynnodd Tudur.

"Dowch chitha', fechgyn," meddai Gwen. "Wedi'r cwbl, i ddawnsio y daethom ni yma, yntê?"

Ymgollodd Mererid yng nghuriad y miwsig. O! dyma ei hoff bleser hi. Symud a dawnsio i'r curiad

77

pendant, rhoi corff a meddwl yn gyfan gwbl i'r symudiadau; ymdoddi'n hollol iddynt. Roedd Tudur yn ddawnsiwr da hefyd ac yn medru cyfateb i'w holl symudiadau.

Roedd Mererid a Tudur yn dawnsio pan ddaeth Sioned i mewn. Teimlodd Mererid ei llygaid arni fel y symudai hi a Tudur yn egnïol i'r miwsig a suddodd ei chalon wrth feddwl am ei chyfarfod eto. Daeth y record i ben a gwaeddodd y troellwr uwch nodau agoriadol y gân nesaf—"Eich ffefryn chi a minna', fechgyn a genethod. Does dim angen eu henwi nhw, *Y Gwylliaid Cochion* a . . ." Boddwyd ei lais gan y miwsig ac ailddechreuodd y dawnsio.

"Diod oren, Mererid?" gofynnodd Meic. "A chitha', enethod?"

Cerddodd Mererid yn ôl at y bwrdd gyda Delyth a Gwen. Beth ddywedai Sioned? Tybed a fedrai hi wynebu'r malais a'r geiriau sbeitlyd o flaen y criw? Fe edrychai pawb arni pe soniai Sioned am y graith. Fydd damed o ots gen i am yr hyn ddywed hi, addawodd wrthi'i hun. Ond suddodd ei chalon er hynny a rhwbiodd y graith yn araf a nerfus.

Wedi un cipolwg sur i'w chyfeiriad, anwybyddodd Sioned hi ar y dechrau a chyn iddyn nhw eistedd bron, siaradodd am y ffilm a welodd hi a Mair yn y sinema y noson gynt.

"O! mi fuasat ti a Delyth wedi'i hoffi," meddai wrth Gwen. "Hanes sêr pop o America, yntê, Mair?"

Nodiodd Mair.

"Fe ddylsen ni i gyd fod wedi mynd fel criw," ychwanegodd Sioned.

Eisteddodd Delyth yn ôl yn ei chadair a throi i gynnwys Mererid yn y sgwrs.

"Sut ddawnsfeydd sy' 'na yng Nghaer, Mererid? Rydych chi'n cael grwpiau enwog iddyn nhw debyg."

"O!" meddai Sioned yn sur, "ma' popeth yn well yng Nghaer, debyg iawn."

Edrychodd Delyth a Gwen ar ei gilydd, ac yn unol, trodd y ddwy i siarad efo Mererid tra eisteddai Sioned yn bwdlyd wrth eu hochr. Ni chymerodd Mair lawer o ran yn y sgwrs chwaith. Geneth dew, radlon oedd hi, yn hollol dan fawd Sioned ers dyddiau'r ysgol gynradd, ac ni feiddiai hi ddatgan barn o unrhyw fath. Yn hytrach, adleisiai bopeth a ddywedai Sioned.

Ymhen ychydig daeth y bechgyn yn ôl gyda'r diodydd oren a chreision tatw. Eisteddodd Tudur wrth ochr Mererid, a throdd Meic yn ôl i gael diod i Sioned a Mair.

"O! Tudur, wyddwn i ddim dy fod ti'n dod yma mor fuan," meddai Sioned yn siriol. "A finna' wedi disgwyl iti alw amdana i fel arfer. O, dos i ddweud wrth Meic ma' creision halen a finegr ydw i isio heddiw. Dos, cariad, cyn iddo fo'u prynu nhw."

Ochneidiodd Tudur a chodi ar ei draed.

"Wrth gwrs, Tudur ydi fy ffrind *arbennig* i," meddai Sioned a'i llygad yn disgyn fel pe'n ddamweiniol ar Mererid. "Mi fyddwn ni'n mynd i bob man efo'n gilydd fel arfer. Ond fe ofynnodd Mrs Rowlands iddo edrych ar ôl Mererid, a be wnewch chi? Mae o mor foneddigaidd bob amser, fuasa' fo byth yn meddwl am wrthod er i'r cais ddrysu'n trefniada' ni y gwyliau 'ma."

"Paid â'u palu nhw, Sioned," gorchmynnodd Delyth yn ffyrnig. "Mae Tudur yn ffrind inni i gyd fel ein gilydd."

Gwenodd Sioned yn slei.

"O na, ddim fel ein gilydd. Mi fedra i eich sicrhau o hynny," meddai'n fwyn.

Saethodd ansicrwydd i galon Mererid ond cadwodd ei hwyneb yn berffaith ddideimlad o flaen Sioned. Modryb Nel wedi gofyn iddo fo? O na, doedd hynny ddim yn bosibl! Fuasai hi byth yn gwneud ffasiwn beth, fuasai hi? Brathodd ei gwefus. Tybed ai dyna'r cyfan oedd gofal a chyfeillgarwch Tudur yn y diwedd. Dim ond ymateb cwrtais i ofynion Modryb Nel fel yr awgrymai Sioned! O! na, plîs, na! Peidiwch â gadael iddo fod yn wir! Plîs!

"Paid â chymryd sylw ohoni," sibrydodd Gwen. "Fel'na ma' hi yn yr ysgol hefyd—â'i chyllell yn unrhyw eneth sy'n siarad â Tudur."

Ond roedd drwgdybiaeth wedi'i phlannu ym meddwl Mererid ac er iddi ddawnsio efo'r bechgyn i gyd yn eu tro roedd mwynhad y noson wedi pylu. Fe drawodd geiriau Sioned yn syth i'w chalon, yn union fel y bwriadai Sioned iddyn nhw'i wneud. Gogwyddai ei meddyliau'n si-so parhaus o'r sicrwydd mai celwydd oedd y cyfan a ddywedodd Sioned i'r sicrwydd fod gronyn o wir yn ei geiriau.

"Rwyt ti'n ddistaw iawn," sylwodd Tudur beth amser yn ddiweddarach. "Wyt ti'n mwynhau dy hun?"

"Ydw, diolch," atebodd Mererid gan ymdrechu i ymddangos yn siriol, llawn bywyd. "Ychydig o gur yn fy mhen sy' gen i, dyna'r cyfan."

"Mi awn ni allan i gael ychydig o ddistawrwydd,'' meddai Tudur ar unwaith. "Hei, Meic, beth am i ti a Delyth ddŵad allan efo ni am ychydig?''

"Iawn, was,'' oedd yr ateb.

Cerddodd y pedwar allan a llygaid Sioned yn eu dilyn.

"Synnwn i ddim na wnaiff Sioned esgus i ddod allan ar ein hôl ni,'' sibrydodd Delyth wrth Meic. "Ew, ma' hi'n medru bod yn gignoeth, cofia. Roedd gen i biti dros Mererid. Hen fitsh ydi Sioned, does yna ddim gair arall i'w disgrifio hi.''

Eisteddodd y pedwar ar y wal y tu allan i'r neuadd i fwynhau sgwrs a chwerthin. Cododd calon Mererid wrth ymuno yn y cellwair a'r cynlluniau am yr wythnos ganlynol, y paratoadau mwyaf ar gyfer y rali, wrth gwrs.

"Mi awn ni ein chwech efo'n gilydd,'' meddai Meic, "ac fe gaiff Mererid gynorthwyo'r genethod i baratoi arddangosfa'r clwb.''

"Ia,'' sylwodd Delyth, "mi fydd arnon ni angen gofalwyr yn y babell, yn enwedig os bydd Sioned a Mair wedi'u gwadnu hi oddi yno fel arfer.''

Ymlaciodd Mererid yn eu cwmni a chiliodd geiriau Sioned ymhell y tu ôl i'w meddwl. Mor braf oedd hi yno gyda chwmni cyfeillgar. Bron na fedrai anghofio am yr hagrwch ar ei hwyneb. Ochneidiodd yn ddistaw. Bron, yntê?

"Faint ydi hi o'r gloch?'' gofynnodd Delyth ymhen ychydig. "Mae Dad yn dod i fy nôl i chwarter wedi un ar ddeg.''

Trodd Mererid at y golau er mwyn edrych ar ei

wats. "Bron yn . . ." dechreuodd cyn i gysgod ddod rhyngddi a'r golau.

Edrychodd i fyny. Safai Sioned yno. Ni chymerodd sylw yn y byd o Mererid na'r gweddill o'r criw. Siaradodd â Tudur.

"Mae Dad newydd gyrraedd," meddai wrtho, "ac wedi trefnu efo dy dad i fenthyca bagiad o fwyd moch ar y ffordd adra'. Waeth iti ddod efo ni ddim, medda fo, rhag i Mr Rowlands fynd allan o'i ffordd i dy ddanfon. Tyrd, rydyn ni'n barod i fynd rŵan."

Trodd ar ei sawdl heb air wrth neb arall.

Canodd cloch y ffôn cyn gynted ag y cyrhaeddodd Mererid i lawr i'w brecwast fore trannoeth.

"Waeth iti heb â chodi," sylwodd Les Rowlands wrth ei wraig. "Y bachgen tal, gwallt melyn, hynod o olygus sy'n byw a bod yma ydi o, iti."

Gwridodd Mererid.

"Does dim angen iti wrido. Roedd ei dad o'n dweud ddoe nad oes modd ei gael o adra y dyddia' 'ma."

"Ia, dos i'w ateb, ngenath i, imi gael gorffen torri brechdan," meddai Nel Rowlands.

Cododd Mererid i ufuddhau.

"Hylo, Garmon 392. O! Tudur, y ti sy' 'na. Y pnawn 'ma? O'r gora', mi ddo i â chlustogau. A'r criw hefyd? Ia, dau o'r gloch."

"Roeddwn i'n iawn, on'd oeddwn?" meddai ei hewythr yn fodlon. "Nid yn aml y bydda i'n cam-gymryd efo'r busnes cariadon 'ma."

Ar ôl cinio, cychwynnodd Mererid gan gludo'r

clustogau a phecyn bwyd oedd yn ddigon i ddwsin o bobl o leiaf, am yr hen blasty. Roedd yn ddiwrnod heulog, braf unwaith eto.

Troediodd yn ysgafn ar hyd y llwybr. Ysgafn ei throed ac ysgafn ei chalon. Beth arall fedrai hi fod a Tudur yn aros amdani wrth y llyn? Prysurodd ymlaen â'i bryd ar gyrraedd yno cyn gynted ag y medrai.

Camodd trwy'r bwlch yn wal yr ardd a safodd am ennyd i deimlo'r tawelwch yn ymdoddi i'w chyfan-soddiad. Fel hyn y teimlai hi bob amser wrth gyrraedd yma. Y tawelwch a'r llonyddwch perffaith yn falm ar friwiau'i meddwl. Gwyddai fod perthynas arbennig rhyngddi a'r llecyn hwn. Adnabyddiaeth gartrefol, enaid wrth enaid, nad anghofiai amdani fyth.

Cyrhaeddodd lan y llyn i ganfod pawb yn disgwyl wrthi.

"Hylo, Mererid," galwodd Siôn, "roedden ni'n meddwl dy fod ti wedi colli'r ffordd. On'd oes yma le ardderchog? Wn i ddim pam yr ydyn ni wedi anwybyddu'r lle 'ma cyhyd. Dydw i ddim wedi bod yma ers pan oeddwn i'n fachgen deg oed. Fuost ti, Meic?"

"Naddo, roeddwn i wedi anghofio'n llwyr amdano. Chwarae cuddio a dringo coed fel Tarzan fuo mi yma ddiwetha."

Chwarddodd pawb.

"Wel, Tarzan," meddai Delyth, "beth am gadw'r pethau yn y cwt a mynd am dro hyd y rhos? Mi fyddwn ni i gyd yn teimlo fel ymosod ar y pentwr bwyd yma wedyn, ac rydw i'n edrych ymlaen am gael torheulo ar lan y llyn."

Cydsyniodd pawb ar unwaith ac wedi gadael

popeth yn dwt ar lawr, cychwynnodd y chwech yn ôl ar hyd y llwybr gan anelu am yr ardd o flaen y plas.

Cerddai'r genethod ar y blaen a Taff, fel arfer, wrth sodlau Mererid gan droi ambell waith i redeg yn ôl at Tudur.

"Taff, gwna dy feddwl i fyny," galwodd Mererid. "Y fi, 'ta Tudur, wyt ti am ei ganlyn?"

Ataliodd ei cherddediad yn sydyn. Roedd rhywun o flaen y plas. Trodd y dieithryn i'w gwylio. Edrychodd Mererid yn graff arno. Dyn bychan a chlwstwr o wallt brith ganddo, a dillad lliwgar wedi'u taflu rywsut, rywsut amdano. Crwydryn oedd o tybed? Nage, meddyliodd Mererid, roedd rhyw raen aflêr arno ac awdurdod pendant yn ei lygaid treiddgar.

Ond beth oedd o'n 'i wneud yma? Ei lle arbennig hi oedd yr hen blas. Doedd hi ddim eisiau i neb arall ddod yma i dorri ar y berthynas rhyngddi ac ef.

"Aros, Mererid Rees," meddyliodd, yn feirniadol ohoni'i hun. "Cael benthyg yr hen blas wnest ti, nid ei hawlio. Cael ei fenthyg pan oedd angen arnat. Ond rwyt ti'n well rŵan, on'd wyt? Dyma ti yn mwynhau oriau hapus gyda dy gyfeillion ac yn medru derbyn yr hen graith hyll 'ma."

Gwenodd ar y dieithryn.

"Pnawn da."

"Pnawn da, i gyd," oedd ei ateb.

Dilynodd ei lygaid gleision hwy cyn iddo droi a cherdded am ddrws y plas.

"Pwy oedd o, tybed?" gofynnodd Meic. "Rhywun ar ei wylia', mae'n debyg."

Yn fuan, anghofiodd pawb am y dieithryn wrth iddynt ddringo'r rhos a mwynhau'r olygfa ardderchog oddi yno i lawr hyd at feysydd gwastad y dyffryn islaw.

Symudodd Tudur i bwyso ei fraich am ysgwyddau Mererid yn gyfeillgar.

"Beth ragor ydyn ni'i angen?" gofynnodd yn bregethwrol, "haul ac awel, cwmni difyr, a'n traed ni'n sefyll ar dir ein gwlad. Ac un peth arall, gyfeillion, . . ."

Disgwyliodd pawb.

"Bwyd efo B fawr yn ein disgwyl ni wrth y llyn!"

"Roeddwn i'n disgwyl i un ohonoch chi sôn amdano ers meitin," meddai Siôn. "Mae fy stumog i'n holi ymhle ma' fy ngheg i ers meitin, ffrindiau."

Trodd pawb i gerdded yn ôl am y plas.

"Mi fydd picnic ar lan y llyn yn ardderchog," meddai Gwen. "Eistedd wrth y dŵr a gadael i'r bechgyn wneud y gwaith i gyd, yntê, Delyth?"

Cipedrychodd Mererid o gwmpas yr ardd ffrynt. Ymhle'r oedd y dieithryn, tybed? Wedi edrych ar y plas a cherdded ymlaen ar ei hynt heb deimlo dim o'r swyn oedd ynddo iddi hi?

Wedi cyrraedd y llyn, trodd Mererid i nôl y clustogau o'r cwt. Camodd at y rhiniog i sefyll mewn dychryn wrth weld y golwg oedd yno. Dymchwelwyd y stof wersyllu ar lawr y cwt, rhwygwyd y clustogau'n llarpiau, a gorweddai'r pecynnau bwyd yn wlyb diferol ar lan y llyn.

Roedd fel pe buasai llaw nerthol yn gwasgu ei chalon. Y fath falais a gelyniaeth!

"Pwy ar y ddaear a wnâi beth fel hyn?" gofynnodd Gwen yn sobor. "Does fath o synnwyr yn y peth, yn nac oes?"

"Y dieithryn yna?" gofynnodd Meic. "Mae'n anodd credu hynny, ond doedd yna neb arall o gwmpas y plas."

Trodd Mererid oddi yno. Na, nid y dieithryn, meddyliodd. Cofiodd ei lygaid treiddgar a'r awdurdod a berthynai iddo. Na, nid dyn i ddial ar neb oedd o, a phrun bynnag, roedd hi'n siŵr iddo garu yr hyn a welodd o'r plas.

Gwyddai yn ei chalon pwy a achosodd y difrod. Sioned. Allai hi ddim profi hynny wrth gwrs, ond fe wyddai ei bod hi'n iawn.

Lledaenodd ias tros ei chorff a phylodd yr hapusrwydd a deimlasai trwy gydol y dydd. Crwydrodd ei bys i symud yn araf ar hyd y graith unionsyth o'i thrwyn i'w thalcen fel y suddodd, eto, i'r digalondid y bu hi ynddo yn ystod y dyddiau ofnadwy hynny a ddilynodd y ddamwain.

Nid edrychai Mererid ymlaen at ddiwrnod y Rali. Wedi'r digwyddiad yn y cwt wrth y llyn, nid oedd yr un pleser iddi yng nghwmni Tudur a'i ffrindiau. Ac er iddi grwydro unwaith neu ddwy i dawelwch y rhos, fe ddilynodd yr un diflastod hi.

Roedd gelyniaeth Sioned fel cancr yn bwyta i'w meddyliau. Geneth boblogaidd, gyda llu o ffrindiau fu hi yn yr ysgol erioed. Feddyliodd hi erioed y buasai unrhyw un yn mynd allan o'i ffordd i wneud drwg iddi.

Soniodd hi yr un gair wrth neb am ei hamheuon. Sut y gallai hi, a Sioned yn gyfaill a chymydog? Wedi'r cwbl, ni welodd hi Sioned yn agos i'r lle ac ni adawodd ddim yno i'w chysylltu â'r peth. Ond i Mererid, roedd fel pe byddai Sioned wedi arwyddo'i henw ar y weithred, wedi sgrifennu *"Sioned wnaeth"* ar furiau'r cwt wrth y llyn. Fe *wyddai* mai Sioned oedd yn gyfrifol.

––––––––––

"Wir, Les," meddai Nel Rowlands yn boenus un diwrnod, "wn i ddim beth sydd ar yr hogan 'ma. Dim ynni na phleser i ddim a hitha' wedi bod mor hapus yn ddiweddar hefyd. Dyn, ma' effaith y ddamwain 'na'n hir yn cilio. Roeddwn i'n methu gwybod sut i ateb Luned ar y ffôn neithiwr, a hithau'n credu bod hwylia' ardderchog ar Mererid."

Ysgydwodd ei phen uwch ei smwddio.

"Ma' hi'n symud a siarad yn hollol naturiol, ond tydi'i chalon hi ddim yna rywsut."

"Wel, rhaid inni ddisgwyl ambell i gam yn ôl, ysti," cysurodd ei gŵr. "Mi ddaw hi ati'i hun efo'r rali 'ma. Cael digon o hwyl a chwmni i godi'i chalon hi."

"Does gen i ond gobeithio nad oes a wnelo Sioned rywbeth â'r peth," meddai Nel Rowlands. "Mi fuasa'i mam hi'n hanner ei lladd. Rhaid imi ddweud am Margiad, does yna ddim tro gwael yn 'i chroen hi, chwara' teg iddi, a sut y magodd hi eneth fel Sioned, wel, mae o'n ddirgelwch i mi."

––––––––––

Fe wawriodd diwrnod y rali yn gymylog, ond yn berffaith sych. Diwrnod yr edrychai pawb ymlaen ato, ond Mererid. Buasai'n dda ganddi hi ganfod esgus i osgoi'r cyfan. Fe fyddai Sioned yn y rali. Sioned a'i geiriau arwynebol deg a'r malais ynghlwm wrth bopeth a ddywedai. Beth wnâi hi nesaf? Beth eto i daro'n sicr o dan groen?

Fedra i ddim cystadlu â hi. Y fi, Mererid Rees a fyddai'n hapus a llawn o hunanhyder y dyddiau hynny cyn y ddamwain. Ond mae o i gyd wedi diflannu. Rydw i'n llawn o ddrwgdybion erbyn hyn. Drwgdybion na fedra i gael gwared ohonynt. Roeddwn i'n fodlon arnaf fy hun—dim gwell na gwaeth na neb arall. Ond yn awr? Mae nam ar y pictiwr hwnnw. Nam nad aiff byth i ffwrdd.

Dringodd i'r Land Rover yn ddigalon. Roedd ei hewythr wedi addo cludo trugareddau'r clwb i'r babell, felly fe gychwynnodd ef a Mererid ychydig wedi wyth o'r gloch, a Gwen a Delyth gyda hwy.

Syllodd Mererid yn ddistaw trwy'r ffenestr gan dalu fawr o sylw i sgwrs a chwerthin y ddwy. Rhaid imi wenu a siarad a cheisio fy mwynhau fy hunan, meddyliodd. Fedra i ddim dangos i'r ddwy, nac i Tudur chwaith, sut yr ydw i'n teimlo. Mae Sioned yn yr un dosbarth â nhw, yn un o'r criw, a finna' ond yma am ychydig o wythnosau yn unig.

Arafodd y Land Rover wrth y cae. Roedd yn brysurdeb brwd yno yn barod ac anghofiodd Mererid ei digalondid am ychydig wrth gynorthwyo Delyth a Gwen i drefnu arddangosfa'r clwb.

"Hy!" meddai Delyth wrth gludo baich enfawr i'r babell, "does yna ddim arlliw o Sioned a Mair, fel arfer. Fe ddaw o rywle fel brenhines Sheba wedi inni orffen popeth, a Mair fel llawferch iddi."

Edrychodd Gwen o gwmpas y babell yn eitha bodlon, cyn troi at Delyth a Mererid.

"Wel, er fy mod i'n dweud fy hunan, rydyn ni wedi cael trefn berffaith hebddi. Pawb yn cyd-weld ymhle i roi pethau. Mae gan Sioned ei syniada' pendant ei hun am arddangosfa. O leia, wnaethon ni ddim ffraeo uwch ben y gwaith."

Cipedrychodd ar ei wats.

"Delyth, mae'n amser inni fynd. Mae bron yn amser y gystadleuaeth gyntaf. Wnei di aros i ofalu am y babell am ychydig Mererid? Fe ddylai Sioned ddod yma'n fuan rŵan. Y hi sydd i ofalu am y ddwyawr gynta 'ma."

"Ia," meddai Gwen, "ond fe ddown ni'n ôl cyn gynted ag y medrwn ni."

Prysurodd y ddwy allan. Eisteddodd Mererid tu ôl i'r bwrdd. Ymhle roedd Tudur tybed? Teimlai ei fod wedi pellhau oddi wrthi y dyddiau diwethaf yma. Ond bai pwy yw hynny? gofynnodd iddi'i hun. Dy fai di, yntê? Mae fel petai rhyw fur wedi codi'n sydyn rhyngom. Mur anweledig na fedra i gamu drosto. Troed o chwith ym mhopeth a ddywedwn.

Edrychodd ar ei wats. Hanner awr wedi un ar ddeg. Ymhle roedd pawb o'i ffrindiau? Oedden nhw wedi anghofio amdani?

Cododd at y drws. Ciliodd yn ôl yn sydyn wrth glywed llais Sioned o'r tu allan.

"Ia, lle iawn iddi ar ei phen ei hun yn y babell. Wedi'r cwbl, tydi hi ddim yn aelod o'r clwb, yn nac ydi? Rydw i'n mynd i gyfarfod Tudur rŵan. Mae'n dda gan ei galon o gael gwared ohoni am ychydig. Ma' hi fel ci bach wrth ei gwt o trwy'r gwylia' 'ma.

Rydw i wedi dweud wrtho am adael iddi, ond mae o ofn pechu Mrs Rowlands a hitha'n ffrind i'w fam.''

Ni chlywodd Mererid ragor. Ai dyna yr hyn a feddyliai Tudur mewn difri? Nage, malais Sioned oedd y cyfan, yntê? Does bosib mai twyll oedd y cyfan. Y cyfeillgarwch parod a rhywbeth mwy na chyfeillgarwch hefyd. Ond ymhle roedd Tudur? Pam na fuasai'n dod i chwilio amdani? Tybed mai disgwyl Sioned oedd o mewn difri?

Daeth Gwen a Delyth i mewn.

''Mae'n wir ddrwg gen i dy adael mor hir,'' ymddiheurodd Delyth â'i gwynt yn ei dwrn. ''Mi feddyliais i fod y beirniad wedi mynd i gysgu, do wir. Roedd o mor hir yn dyfarnu, mi fu bron i minna' fynd i gysgu efo fo.''

Trodd at Gwen.

''Yli, dos di efo Mererid. Fe arhosa i yma nes daw'r bechgyn.''

''Ble ma' Tudur?'' mentrodd Mererid.

''Yr ochr draw acw'n siarad efo Sioned,'' atebodd Gwen. ''Fydd o ddim yn hir, rwy'n siŵr.''

Efo Sioned? Teimlodd Mererid y dagrau llosg yn ymhél tu ôl i'w llygaid. Roedd geiriau Sioned yn wir wedi'r cyfan, a hithau wedi ei chysuro ei hunan yn ofer. Sylwodd Delyth ar ei hwyneb digalon.

''Beth sy', Mererid? Wyt ti ddim yn meddwl bod Tudur am aros efo Sioned?''

Edrychodd ar Gwen am eiliad cyn brysio ymlaen.

''Yli, fydda i ddim yn hoffi rhedeg ar neb, ond waeth iti ddeall y gwir am Sioned ddim. Y hi yw'r hogan ddela yn yr ardal, ond mae'r bechgyn i gyd yn deall ei chastiau i'r dim. Mae hi wedi chwara' gormod ohonyn nhw i ddenu neb sy'n ei hadnabod bellach. Paid â phoeni amdani hi a Tudur. Does dim angen, wir yr!''

"Wir yr, be, enethod?'' Daeth llais Tudur o ddrws y babell.

Trodd Mererid yn falch. Ie, Delyth oedd yn iawn. Nid oedd angen iddi boeni am Sioned a'i chastiau. Gwenodd arno.

"Wyt ti'n barod i gerdded y maes?'' gofynnodd Tudur. "Mae gen i gant a mil o bethau i'w dangos iti. Agoriad llygad i eneth o'r dre!''

"Ia, ewch chi,'' meddai Gwen. "Mi arhosa i yma hefo Delyth am ychydig.''

Aeth y ddau allan i ddod wyneb yn wyneb â Sioned tu allan i'r babell.

"O, roeddwn i'n dod i chwilio amdanoch chi, Mererid,'' meddai'n wendeg. "Meddwl y buaswn i'n dangos ychydig o'r rali ichi. Mae popeth mor ddieithr i rywun o'r dre.'' Chwarddodd. "Fel hwyaden allan o ddŵr, yntê?''

Gafaelodd ym mraich Mererid.

"Rŵan, beth am ymweld â phabell y cneifio yn gyntaf?''

Rhoes Tudur winc slei ar Mererid.

"Ia wir, Sioned, dos i ddangos y ffordd. Mi fydd Mererid a minna' yn dynn wrth dy sawdl di.''

———————

"Duwcs,'' meddai Nel Rowlands amser cinio trannoeth, "mi glywais i newydd od yn swyddfa'r post y bore 'ma. Yr hen blas wedi'i werthu, medden nhw. Rhyw arlunydd enwog o rywle wedi'i brynu fo.

Y peth gora' fedr ddigwydd i'r hen blas, wrth gwrs. Roedd yn resyn ei weld o'n dirywio.''

Arafodd fforc Mererid. Yr hen blas wedi'i werthu? Châi hi byth eto fynd i fwynhau tawelwch ei furiau a chrwydro drysni ei erddi.

''Dydi o ddim yn dŵad yna i fyw am beth amser eto, neu felly oedd Mrs Jones yn 'i feddwl. Wel, mae'n sefyll i reswm, on'd ydi? Rhaid ail-drin cryn lawer arno fo. Ond does dim o'i le ar yr hen blas na fedr ychydig o sylw ei wella.''

Ciliodd llais ei modryb yn nhrobwll meddyliau Mererid. O do, bu llawer o bethau'n gymorth iddi ar ôl y ddamwain, ei modryb a'i hewythr a'r Hafod ei hun; ei rhieni; Taff, ei dilynwr ffyddlon; a Tudur a'i gwmpeini difyr. Ond fe fu'r hen blasty yn lloches ddihafal iddi pan âi pethau o chwith. Roedd eistedd yn nhawelwch ei erddi yn gosod popeth yn ei le priodol. Y ddamwain, Sioned, ei chraith. Fe ddisgynnai popeth i'w batrwm hanfodol a hithau'n gallu ei dderbyn. Fe arhosai'r drwgdybion yng nghysgodion ei meddwl i neidio'n ôl i'r wyneb os caent gyfle. Y plas wedi'i werthu? Cododd yn frysiog.

''Rydw i am fynd efo Taff i'r rhos. Ga i eich helpu efo'r llestri cyn mynd, Modryb Nel?''

''Na, dos di, mechan i. Ydi Tudur am ddod i fyny'r pnawn 'ma?''

''Wn i ddim eto,'' atebodd Mererid gan gychwyn am y drws.

Ar y gair, daeth sŵn cloch beic o'r buarth a llais Tudur wrth gât yr ardd. Rhedodd Mererid allan i'w gyfarfod.

''Wel, beth ydi'r trefniada' y pnawn 'ma?''

"Glywaist ti fod yr hen blasty wedi'i werthu?"
gofynnodd Mererid yn bryderus. "O Tudur, chawn
ni ddim mynd yno eto, gei di weld."

"Does bosib fod neb ynddo eto. Newydd ei werthu
mae o. Beth am fynd yno rŵan i weld?"

"O ia, mi awn ni ar unwaith," atebodd Mererid.

Cychwynnodd y ddau i fyny'r cae glas gyda Taff yn
dynn wrth eu sodlau. O ddrws yr Hafod, gwyliodd
Nel Rowlands y tri'n cyrraedd at y rhos a throdd at ei
gŵr.

"Ma' Mererid yn well eto, yn tydi, Les? Wir, ma'
cwmni Tudur wedi gwneud byd o les iddi. Does dim
byd tebyg i gwmpeini rhywun 'run oed i'r ieuanc.
Tydi hen gojars fel ti a fi'n lles yn y byd."

"Siarad ti trosot dy hunan, Nel Rowlands," oedd
ateb sych ei gŵr.

Cyrhaeddodd Tudur a Mererid waliau bylchog y
gerddi ac ymwthio trwodd i'r tawelwch heulog tu
mewn. Safai'r hen blasty yn ei ogoniant yn haul y
prynhawn, yn sŵn dioglyd mân bryfetach yn neiliach
y tyfiant trwchus o'i amgylch.

"Mae pob man yn edrych fel arfer, beth bynnag.
O, dyna biti iddo gael ei werthu, yntê," meddai
Mererid.

Yna ystyriodd am funud.

"Nage, dydi hynna ddim yn deg â'r hen blasty
chwaith. Bywyd newydd a hunan-barch, dyna mae o'u
hangen."

"Tyrd inni fynd i mewn."

Croesodd y ddau at y drws derw a throi'r ddolen
wichlyd. Cerddodd Mererid yn araf o ystafell i
ystafell. Rhedai ei llaw'n garuaidd tros ambell i banel

cerfiedig, gan ffarwelio'n ddistaw yn ei chalon â phob un ohonynt.

"Wyst ti be, Mererid, mi fuasat ti wedi gwneud arglwyddes ardderchog i'r hen blas," meddai Tudur. "Rwyt ti'n caru pob modfedd ohono, on'd wyt?"

Ochneidiodd Mererid.

"Ydw, pob modfedd, cofia. A dyna iti beth rhyfedd, fe fûm i ar fy ngwylia' lawer gwaith yn yr Hafod heb freuddwydio am ymweld â'r hen blas. Ond roedd o'n disgwyl amdana i y tro yma. Paid â chwerthin, ond dyna ydw i'n 'i gredu."

Ysgydwodd Tudur ei ben.

"Wna i ddim chwerthin, siŵr. Mae rhyw dynfa'n perthyn iddo—tawelwch, a charedigrwydd, a chroeso."

Cododd Taff ei glustiau'n sydyn ac edrychodd i gyfeiriad y neuadd. Daeth sŵn traed ysgafn ar y llawr coed a llais Sioned.

"Roeddwn i'n meddwl ma' yma y buasech chi. Wn i ddim be' sy gynnoch chi i ddweud wrth hen le fel hyn. Ych! edrychwch ar y llwch 'ma."

"Beth ddaeth â chdi yma, os wyt ti'n casáu'r lle gymaint?" gofynnodd Tudur yn sych.

Ochneidiodd Mererid ynddi'i hun. Doedd dim modd cael diwrnod heb gwmni Sioned. Roedd hi'n llwyddo i daflu rhyw gysgod tros bopeth, hyd yn oed ei phleser hithau yn yr hen blasty. Ac am y cwt ger y llyn, ni fedrai feddwl am fynd ato. Roedd perffeith-rwydd y lle wedi'i chwalu am byth.

"Mae'n ofynnol inni i gyd helpu Mererid tros y gwyliau 'ma, yn tydi?" oedd ateb melys Sioned.

Edrychodd yn sur o'i hamgylch.

"Ond mi fedra i feddwl am lawer o bethau gwell na hyn i'w diddori hefyd. Ych a fi, mae o'n codi arswyd arna i, hen le bron wedi mynd â'i ben iddo ac arogl llaith, wedi llwydo ymhobman. Ma' . . ."

Boddwyd ei geiriau gan gyfarthiad sydyn Taff unwaith eto a cherddediad traed sicr yn y neuadd. Trodd pawb i edrych.

"Wel, gyfeillion, rydw i'n gweld bod yr hen blas wedi arfer cael digon o ymwelwyr, beth bynnag. Dowch imi gyflwyno fy hunan—Merfyn Lewis. Efalla' ichi glywed imi brynu'r plas?"

Adnabu Mererid ef ar unwaith. Y dieithryn wrth y plas y diwrnod hwnnw, yntê? Roedd hiwmor iach tu ôl i'w lygaid gleision, treiddgar.

"Wel, madam, a beth ydi'r ddedfryd ar berchennog newydd y plas?" holodd. "Teilwng, gobeithio?"

Gwridodd Mererid a thynnu'i llygad oddi arno.

"Mae'n ddrwg gen i syllu," ymddiheurodd.

Chwarddodd Merfyn Lewis.

"Mae syllu'n rhan fawr o mywyd i," meddai. Trodd at Sioned a Tudur. "Mae'n dda gen i weld eich bod chitha'n hoffi'r hen blas."

"O! mae o'n hardd, yn odidog o hardd," byrlymodd Sioned. "Y paneli 'ma, y grisiau a'r oriel! O! rydych chi'n lwcus i fod yn berchen ffasiwn le. Mi fedra i ddychmygu gweld llond y plas o ferched yn eu ffrogiau dawns a'r dynion yn eu siwtiau milwrol, a'r gerddorfa'n chwarae iddyn nhw."

Chwyrlïodd mewn dawns ddychmygol.

"Dawnsio, dawnsio trwy oriau'r nos." Arhosodd. "Mi fydda i'n dotio at hen adeilada' fel hyn, Mr Lewis."

Daeth difyrrwch i lygaid Merfyn Lewis ac arlliw o wên i'w wefus.

"Byddwch, siŵr," meddai'n ddifrifol.

Edrychodd Mererid a Tudur ar ei gilydd. Y fath edmygedd mor sydyn! Gwnaeth Tudur lygad bach arni a chuddiodd Mererid bwff bach o chwerthin tu ôl i'w llaw. Mor braf oedd cael hwyl fach breifat rhyngddynt eu dau, a hynny'n guddiedig oddi wrth Sioned. Ni chollodd llygaid Merfyn Lewis ddim o'r hwyl chwaith, ond ni chymerodd arno.

"Mae'n debyg eich bod yn deall mai arlunydd ydw i," meddai. "Dowch efo mi i weld y stiwdio. Rydw i wedi dewis yr ystafell ora' yn y plas at fy ngwaith. Ffenestri i bob cyfeiriad ynddi a digon o olau dydd i weithio wrtho."

Dilynodd y tri ef, a Taff fel arfer wrth sawdl Mererid, i fyny'r grisiau hanner tro hyd at oriel y cerddorion, ac yna trwy ddrws bychan cuddiedig bron, at ris fach syth, gul i'r atig. Fe lanhawyd yr ystafell yn barod, a dodwyd isl a phaent wrth y ffenestr ynghyd â phentwr o fân gelfi fel stof nwy fechan, tecell, llestri a sach gysgu yn bentwr destlus wrth y wal.

"O! dyma ystafell fach annwyl!"

Ffrydiodd geiriau Sioned fel lli'r afon wrth iddi gyffwrdd yn hyn a'r llall.

"Beth ydych chi'n ei arlunio rŵan, Mr Lewis? Gawn ni weld?"

"Wel," synfyfyriodd Merfyn Lewis, "dim ar y funud. Ond mae gen i ddarlun ym myw fy llygad, a hynny byth ers pan welais i ystafell fawr y plas 'ma."

Amneidiodd yn freuddwydiol â rhyw olwg bell yn ei lygaid.

"Arglwyddes ieuanc y plas yn sefyll wrth y grat farmor hardd 'na. Mae un peth yn sicr, cha i ddim llonyddwch hyd nes y bydda i wedi peintio'r darlun yna."

Edrychodd o un i'r llall.

"Efalla' y ca i un ohonoch chi, ferched, i eistedd imi?"

Prysurodd Sioned i ateb.

"Wrth gwrs, Mr Lewis." Cyffyrddodd â chudyn melyn uwch ei llygaid. "Mi fyddi di yn mynd yn ôl i Gaer, yn byddi, Mererid? Ac wrth gwrs, ma'r graith, yn tydi?"

Syllodd Merfyn Lewis arni, yna trodd i afael yn ysgafn yng ngên Mererid ac i ogwyddo'i hwyneb at y golau. Symudodd hithau'n ansicr o dan ei edrychiad, a gwnaeth ymgais i guddio'r graith. Ond rhwystrodd hi'n dyner.

"Wyneb tlws sydd yna, craith neu beidio," meddai. "Ond mwy na hynny, *enaid* tlws y tu ôl iddo. Dyna'r peth pwysicaf, Mererid. Peidiwch byth ag anghofio hynny."

Gollyngodd hi.

"Does dim angen imi chwilio ymhellach am Arglwyddes y Plas."

Rhoes ei law ar ei braich.

"Dyma hi."

———

Roedd prysurdeb mawr tua'r plas ers pythefnos bellach. Disgynnodd cawod o weithwyr ar y lle, a thorrwyd ar dawelwch ei furiau unig gan ddiasbedain morthwylion a chwibanu dynion wrth eu gwaith.

Ond yn yr ystafell fawr, lle symudodd Merfyn Lewis ei isl a'i baent, yr unig sŵn oedd symudiad ysgafn brws ar bapur ac ambell i ochenaid gan Mererid fel y cyffiai wrth iddi sefyll yno.

"Rŵan, Mererid, cadwch y safiad yna am ychydig eto. Na, peidiwch â chuddio'ch wyneb, llaw ar y silff ben tân—dyna fo."

Camodd ymlaen i aildrefnu llawnder y ffrog fictoraidd o gwmpas ei thraed.

Safodd Mererid yn ufudd eto a'i meddyliau'n crwydro'n bleserus. Nid hagrwch Mererid Rees a'i chraith unionsyth a welai hi bellach, ond tegwch yr wyneb glanwaith a fu iddi cyn y ddamwain.

Dro ar ôl tro dychmygai syllu ar y llun am y tro cyntaf. Dim ond iddi ei weld yn ei gyflawnder hardd, yna fe fyddai hithau'n barod i wynebu'r byd yn holliach.

"Ga i ei weld o heddiw, Mr Lewis?" erfyniai.

Ond yr un fyddai'r ateb bob tro.

"Wedi imi'i orffen, Mererid. Does neb i'w weld cyn hynny."

Bodlonai hithau a syrthio'n ôl i'w breuddwydion melys. Anghofiai Merfyn Lewis yr amser yn aml fel yr ymgollai yn ei waith. Ac wedi hir ddisgwyl, fe flinai Taff a chodi i osod ei bawen yn erfyniol ar ei droed. Pan ddigwyddai hynny, chwarddai'r arlunydd—

"Wel, Taff bach, wedi cael digon yma rwyt ti?"

Fe adawai'r gwaith, a dringai ef a Mererid i'r atig i fwynhau paned a bisgedi yn heulwen alcof un o'r ffenestri mawr, ac i syllu allan ar aceri'r rhos. Tua'r adeg yma deuai Tudur ar hyd y llwybr i gydgerdded â hi yn ôl i'r Hafod. Dyddiau oeddynt a'u patrwm yn hapus, sefydlog a hithau'n mwynhau pob munud ohonynt.

Daeth y tri'n ffrindiau mawr, a mwynhâi Tudur a Mererid wrando ar storïau a phrofiadau Merfyn Lewis ar ei deithiau hwnt ac yma yn y byd.

"Ymm," ochneidiodd Mererid wrth iddo sôn am wyliau hir yn Sbaen, am yr haul crasboeth a'r tyfiant lliwgar, lluosog wedi glaw, ac am y llwch diddiwedd ar ôl wythnosau sychion. "Mae'n braf arnoch chi wedi gweld y byd fel'na."

Eisteddodd hi yn ôl i synfyfyrio.

"Mae'n braf yma hefyd heb Sioned," meddyliodd. "Dyna falch ydw i mai y fi a ddewisodd Mr Lewis. Mae hi wedi pwdu'n lân rŵan ac yn cadw'n ddigon pell."

Clywodd lais Merfyn Lewis drachefn.

"Ond cofiwch chi, ma' 'na rywbeth arbennig yng Nghymru wedi'r holl grwydro." Synfyfyriodd. "Gwyrddni'r gwanwyn hyd lethrau'r bryniau, rhwd rhedyn yr hydref, creigiau moelion Eryri a heulwen ar aceri'r rhos 'ma. Prydferthwch dihafal yr ydw i'n ysu am ei drosglwyddo i gynfas." Cododd. "Wel, mae'n amser i chi'ch tri gychwyn am yr Hafod, yn tydi?"

Plygodd i fwytho Taff.

"Eisteddiad terfynol yfory, Mererid, a dyna waith yr wythnosau diwetha 'ma wedi'i orffen."

———————

Deffrodd Mererid yn fore trannoeth a neidiodd yn syth o'r gwely i edrych trwy'r ffenestr i gyfeiriad y rhos. Ochneidiodd yn hapus. Diwrnod perffaith eto, yr haul yn tywynnu o awyr ddigwmwl a'r ehedydd bach yn morio canu uwchben. Heddiw oedd y diwrnod, y diwrnod y bu hi'n dyheu amdano ers wythnosau.

Gwisgodd yn frysiog a phrysurodd i lawr y grisiau.

"Bore da, bawb," galwodd wrth eistedd i fwyta. "Diwrnod ardderchog, yntê, Wncl Les?"

Nodiodd Les Rowlands yn ffug ddigalon.

"Diwrnod ardderchog i ddiogi fel y ma' rhai pobl, wrth gwrs, ond am yr hen ffarmwr druan, rhaid iddo fo weithio mewn glaw a hindda fel ei gilydd."

"Beth wyt ti am 'i wneud heddiw, Mererid?" gofynnodd ei Modryb.

"O! i fyny i'r hen blas fel arfer," atebodd Mererid yn fodlon. "Mae Mr Lewis am orffen Arglwyddes y Plas heddiw ac wedi addo y ca i ei weld am y tro cyntaf. Oes 'na rywbeth ga i 'i wneud i'ch helpu cyn mynd, Modryb Nel?"

"Nac oes, neno'r tad. Dos di i fwynhau dy hun. Ychydig iawn o'r gwyliau sydd ar ôl eto." Chwarddodd Nel Rowlands. "Ar hynny ydyn ni wedi'i weld arnat ti yr wythnosau diwethaf 'ma, fasa waeth iti gymryd gwely a brecwast yn y plas ddim. Y ti a Taff!"

Oedd, roedd Nel Rowlands yn bur fodlon ar bethau. Fel y sylwodd yn ddiweddarach wrth ei gŵr,

"Rydw i'n teimlo ein bod hi wedi troi'r gongl o'r diwedd, Les, a phopeth o'r tu ôl iddi, diolch am hynny."

"Ia," cydsyniodd Les Rowlands, "ond cael a chael fuo hi hefyd. Ma' diolch mawr i Tudur ac i Merfyn

Lewis am ei chynorthwyo hi yr wythnosau diwethaf
'ma, a'r criw ffrindiau sydd wedi bod efo nhw hefyd.''

Cerddodd Mererid yn ysgafn ei throed ar draws y
rhos. Fe wenai'r byd i gyd arni'r bore hwn. Safodd i
ymledu'i breichiau i'r heulwen a chododd ei hwyneb
yn eiddgar i dynerwch yr awel. O! roedd bywyd yn fêl
iddi heddiw.

"Hei-i-i!" gwaeddodd yn hapus i'r gwynt cyn
sboncio'n ysgafn dros dusw grug blodeuog.

"Hei-i-i!" Daeth atsain i'w llais o rywle.
"Hei-i-i!"

Trodd i ganfod Tudur yn prysuro tuag ati hyd y
rhos. Roedd yntau'n fuan heddiw, mor awchus â
hithau i edrych ar Arglwyddes y Plas am y tro cyntaf.
Chwifiodd ei llaw arno a chychwyn ras wyllt o'i flaen
trwy'r grug gyda chyfarthiad hapus Taff wrth ei
sodlau.

Ond roedd coesau hirion Tudur yn drech na hi.
Daliodd hi, ymaflodd ynddi a chwympodd y ddau ar
eu hyd i'r twmpathau grug.

"Aw! maen nhw'n pigo," gwaeddodd Mererid
rhwng pwffian chwerthin ac ymladd am ei gwynt bob
yn ail. Rowliodd at sgwâr bychan o laswellt a gor-
weddodd ar ei chefn i syllu'n llygad agored, swrth ar
lesni'r awyr uwchben.

Eisteddodd Tudur a thorrodd laswelltyn o'r tusw
agosaf. Pwysodd uwch ei phen a gogleisiodd ei
hwyneb yn ysgafn â'r gwelltyn gan edrych ym myw ei
llygaid.

"Wyt ti'n hapus, Mererid?"

Nodiodd hithau heb ateb.

"Yn hapus yma efo mi? Nid am dy fod ti ar y rhos,

nac am fod Mr Lewis yn gorffen Arglwyddes y Plas heddiw, cofia, ond hapus yma efo mi?''

Daeth mygni sydyn i lonyddu'i chalon fel y syllodd i'w lygaid. Hapus? Llifodd gwrid llosg i'w hwyneb a throdd ei phen ymaith yn swil.

''Ydw, O, ydw.''

''Hei, paid â chuddio dy hun.''

Gafaelodd ynddi a'i throi i'w wynebu eto. Syllodd y ddau ar ei gilydd, eiliadau hir o ddarganfyddiad tawel.

''Rydw i wedi mwynhau'r wythnosau diwethaf 'ma yn dy gwmni,'' meddai Tudur gan droelli cudyn o'i gwallt yn araf â'i fys.

Plygodd i ddodi cusan ysgafn ar ei gwefusau cyn neidio ar ei draed a'i thynnu i fyny gydag ef.

''Tyrd, Mererid Rees, paid â diogi yn fa'na a Mr Lewis yn disgwyl amdanat.''

Gafaelodd yn ei llaw.

''Rŵan, ras efo mi at wal yr ardd.''

Disgwyliai Merfyn Lewis amdanynt ar yr hen sedd haearn o flaen y plas. Astudiodd hwy o dan gantel ei het beintio fregus fel y cerddent tuag ato ac ochneidiodd. Dyddiau ieuenctid a chariad cyntaf! Mor bell yn ôl oedd y cyfan iddo ef. Melys ddyddiau gwanwyn bywyd. Cododd.

''A, dyma chi eich dau! Barod am yr eisteddiad olaf, Mererid?''

''Mi arhosa i yn yr ardd,'' meddai Tudur gan wenu ar Mererid. Gwasgodd ei llaw. ''Mi ddo i i mewn am y dadorchuddiad.''

Fel y trodd am yr ardd daeth galwad o'r tu ôl iddynt. Cyn iddi droi fe wyddai Mererid yn union pwy oedd yno. Sioned. Pwy ond y hi a lwyddai i ddifetha'r diwrnod perffaith hwn iddi?

Na, all hi ddim mo'i ddifetha, meddyliodd wrth gofio'r munudau gyda Tudur ar y rhos. All Sioned ddim difetha'r rheini. Maen nhw o dan glo yn fy nghalon, yno i'w gwarchod a'u cadw am byth.

"Ww-ww! Roeddwn i'n meddwl mai yma y buasech chi i gyd. Pnawn da, Mr Lewis, on'd ydi hi'n ddiwrnod braf? Rydw i'n deall eich bod chi'n gorffen Arglwyddes y Plas heddiw. Fedrwn i ddim aros heb frysio yma i weld y darlun. Rwy'n siŵr eich bod chi ar binna', Mererid. Wedi'r cwbl, nid pawb sy'n cael y cyfle i weld ei hunan yn *union* fel y mae, a hynny ar gynfas arlunydd enwog hefyd.''

"Sut yr oeddet ti'n gwybod?'' gofynnodd Tudur yn sur.

"O, dy fam ddywedodd wrtha i. Digwydd mynd i edrych amdani wnes i, a hithau'n dweud ei fod i'w orffen heddiw.''

Trodd at Merfyn Lewis.

"Os nad ydi wahaniaeth gennych, mi arhosa i i weld y darlun wedi'i orffen, Mr Lewis.''

"O, dywedwch na,'' erfyniodd Mererid yn ddistaw iddi'i hun. "Na, na, na, Mr Lewis.''

Ond wrth gwrs, ni allai Merfyn Lewis wrthod ei chais heb fod yn anfoesgar.

"Cewch wrth gwrs, Sioned,'' meddai er iddo wybod yn iawn ddymuniadau'r ddau. "Ond rhaid ichi ddisgwyl imi'i orffen, cofiwch. Chaiff neb ei weld hyd hynny.''

"O, popeth yn iawn, Mr Lewis,'' meddai Sioned

yn wendeg. "Mi fydda i a Tudur yn iawn yn yr ardd tra y byddwch chi a Mererid yn gorffen."

Gafaelodd ym mraich Tudur a'i dynnu'n bender-fynol am yr ardd.

"Tyrd, ma' gen i lawer o bethau i'w dweud wrthyt."

"Dowch ymlaen, Mererid," meddai Merfyn Lewis yn llawn tosturi wrth weld wyneb Mererid mor ddigalon.

"Mi wela i di wedyn," meddai Tudur gyda winc fach, guddiedig i Sioned.

Fe gododd calon Mererid ar unwaith. Doedd dim angen iddi boeni am Sioned, yn nac oedd? Wnâi ei phresenoldeb ronyn o wahaniaeth i'r diwrnod yn y diwedd. Dilynodd Merfyn Lewis i'r ystafell fawr.

Deuai sŵn cnocio a chwibanu'r gweithwyr wrth eu gwaith fel y gafaelodd Merfyn Lewis yn ei frws am y tro olaf. Ond buan iawn yr ymgollodd yr arlunydd yn ei waith a disgynnodd distawrwydd ar yr ystafell.

Pa bryd y gorffennai Mr Lewis? Curai calon Mererid yn araf, boenus a deuai rhyw ofn pleserus arni wrth feddwl bod y funud honno, y disgwyliodd hi amdani mor hir, bron â chyrraedd. Fe fyddai hi wyneb yn wyneb â pherffeithrwydd Arglwyddes y Plas.

O'r diwedd ochneidiodd Merfyn Lewis a chamodd yn ôl ychydig i astudio'i waith, yna cipedrych ar Mererid bob yn ail. Nodiodd yn foddhaus.

"Dyna ni, Mererid, wedi gorffen o'r diwedd. Mae Arglwyddes y Plas ar gynfas yn union fel y dychmygais i hi. Rhaid imi alw ar Tudur a Sioned cyn ei ddangos."

Camodd at y ffenestr agored.

Arglwyddes y Plas, meddyliodd Mererid a'i chalon yn rhoi tro. Daeth tyndra i'w mynwes, rhyw gymysgedd o arswyd a phleser, encilio a disgwyl. Ond fe gâi Sioned weld. Perffeithrwydd Arglwyddes y Plas!

"Tudur! Sioned!" galwodd Merfyn Lewis. "Dowch ymlaen."

Wedi iddyn nhw ddod i mewn arweiniodd Merfyn Lewis y tri at yr isl a throdd y darlun at y golau.

"Arglwyddes y Plas!" cyhoeddodd yn fawreddog.

Tynnwyd llygaid Mererid i'r wyneb a syllai arni o'r darlun. Rhewodd y gwaed yn ei gwythiennau.

Rhuthrodd llifeiriant i'w chlustiau; llifeiriant a'i cludai i fangre bell fel yn nyddiau'r ysbyty a rhuthr ei ddyfroedd yn frawychus yn ei chlustiau. A'r tywyllwch hwnnw y crwydrodd ei henaid ynddo am oriau ben bwy gilydd gynt.

Clywodd lais Merfyn Lewis o ryw bellter niwlog. "Wel, Mererid, ydych chi'n fodlon arno fo?"

Bodlon, a'r hen graith hyll yna ar wyneb yr Arglwyddes? Bodlon, a'r darlun perffaith yr oedd wedi breuddwydio amdano yn deilchion? A chwerthin am ben Mererid Rees a'i gobeithion diniwed. Ymladdodd i ddatod ei thafod clymog, i ddweud rhywbeth trwy'r siom ofnadwy a'i gorlethai.

Ond yn ofer. Ni ddeuai gair trwy'r talpyn rhew ofnadwy a ymledai o'i gwddf i gyrion eithaf ei chorff.

"Darlun ardderchog, Mr Lewis," byrlymodd Sioned, "a Mererid mor naturiol, yntê!"

Plygodd ymlaen i astudio'r wyneb.

"Naturiol iawn hefyd. Wedi'r cwbl, mae'r graith yn rhan o'r wyneb, yn tydi?"

Trodd i wenu ar Mererid. Gwenu â'i gwefusau, ie, ond nid â'i llygaid. Dangosai'r rheini ei malais a'i phleser yn siomedigaeth Mererid.

Yn sydyn aeth popeth yn drech na Mererid. Saethodd y dagrau yn fwrlwm stormus i'w llygaid a llanwyd ei chorff ag igiadau torcalonnus. Trodd ar ei sawdl a rhuthrodd allan o'r ystafell, allan i'r ardd, i'w thaflu'i hunan ar y glaswellt mewn môr o ddigalondid.

"Mererid," galwodd Merfyn Lewis a Tudur gan droi, fel ei gilydd, i'w dilyn.

Ataliodd Merfyn Lewis ei hunan. Na, Tudur fyddai ei chysur, nid y fo. Beth a ddisgwyliai hi oddi wrth y darlun tybed? Ysgydwodd ei ben. Nid craith ar wyneb yn unig oedd gan Mererid. Nage, wir. Gafaelodd yn bendant ym mraich Sioned fel y cychwynnodd honno ar ôl Tudur i'r ardd. A'i bryd ar achosi mwy o dorcalon, mae'n debyg.

"Nage, madam," meddai'n awdurdodol â'i amynedd â Sioned wedi pallu'n llwyr. "Adra ma'ch lle chi, mechan i, hyd nes y byddwch wedi dysgu rheoli'r tafod 'na. Dydych chi'n meddwl am ddim ond eich ffordd eich hun. Sathru teimladau pobl yn y baw a phlannu eich ewinedd mewn calon friw a mwynhau hynny. Mi fuasech chi wedi medru cynorthwyo Mererid fel pawb arall, ond na, roedd yn well ganddoch chi frifo, a tharo i'r byw bob cyfle gaech chi."

Gafaelodd yn ei hysgwyddau a'i throi'n frwnt i'w wynebu. "Sopan fach sbeitlyd, dyna'r unig ddisgrifiad cywir ichi. Wel, rydych chi wedi cyrraedd pen y daith, Sioned. Os clywa i un gair annheilwng o'r

106

genau 'na eto, mi fydd yn bleser ar y mwya gen i ddod i Dŷ Rhos a dweud wrth eich rhieni yr union ffordd ydych chi wedi byhafio tuag at Mererid yr wythnosau diwetha 'ma.''

Rhoes hwb fach iddi ar ei ffordd.

''Ffwrdd â chi,'' meddai'n finiog.

A chydag un cipolwg cuchiog i'w wyneb trodd Sioned am y drws. Caeodd ef â chlep o'r tu ôl iddi a phellhaodd ei thraed ar lawr y neuadd. Daeth clep arall fel y tynnodd Sioned ddrws y ffrynt ar gau â'i holl nerth.

Ochneidiodd Merfyn Lewis. Nid peth i'w fwynhau oedd siarad plaen â neb. Ond daeth yn hen bryd i rywun dorri crib Sioned. Ochneidiodd eto. Gobeithio'n wir fod ei eiriau wedi suddo trwodd i'r hunanoldeb enfawr oedd yng nghalon y ferch.

Cerddodd Sioned i lawr llwybr yr ardd a heibio i Mererid a Tudur heb edrych eilwaith arnynt. Sut y meiddiodd Merfyn Lewis siarad fel'na â hi? Y hi, Sioned Ellis, oedd yn harddach na'r un arall yn yr ardal 'ma. A Mererid Rees oedd achos y cwbl. Y hi a gymerodd Tudur oddi arni. Chwarae ar ei garedig-rwydd a smalio bod yn ddigalon. Digalon? Gobeithio mai digalon fyddai hi am y gweddill o'i hoes, y bitsh ddauwynebog iddi.

Croeso iti gael Tudur, Mererid Rees. Pwy sydd 'i angen o prun bynnag? Mae digon o bysgod gwell yn y môr, a rheiny'n ymladd â'i gilydd am fy sylw i hefyd. Arhosodd yn sydyn i alw'n wawdus.

''Wnaiff neb ond Tudur edrych ar dy wyneb hyll di. Arglwyddes y Plas? Hy! mi fuasai gwrach yn

gwneud gwell arglwyddes na rhywun efo craith fel sy'
gen ti.''

Cofiodd am Merfyn Lewis, ac wedi taflu un
cipolwg at y Plas, rhedodd trwy'r bwlch yn y wal a
diflannodd i'r rhos.

Châi neb drin Sioned Ellis fel'na, o na. Fe dalai
hi'n ôl i'r cyfan ohonyn nhw. Safodd yn sydyn. Y
darlun! Dyna'r ffordd i dalu'n ôl! Cofiodd y pleser a
gawsai wrth ddarnio a malurio'r pethau yn y cwt wrth
y llyn.

Saethodd yr un pleser i'w meddwl wrth
ddychmygu'r darlun yn chwilfriw. Dyrnu a dryllio yr
wyneb yna roedd hi'n ei gasáu. Ond aros, Sioned,
rhaid iti gymryd pwyll a chynllunio popeth yn ofalus.
Damwain i'r darlun, yntê?

Dychwelodd yn ddistaw i stelcian tu ôl i wal yr
ardd. Trawyd hi gan syniad godidog. Mererid wedi ei
ddryllio, wrth gwrs. Wedi digio am fod y graith ar
wyneb yr Arglwyddes. Dyna fo i'r dim. Gwenodd
wrthi'i hun. Aros yma i ddisgwyl ei chyfle, dyna'r
cyfan yr oedd angen iddi'i wneud.

———

''Mererid!''

Teimlodd Mererid freichiau cryfion Tudur yn ei
chodi oddi ar y glaswellt ac yn ei thynnu tuag ato.

''Mererid, nghariad i, be' sy'?''

Ni fedrai Mererid ateb. Wylodd fwy nag erioed a'r
igiadau poenus yn rhwygo'i chorff.

''Hwda.''

Rhoes Tudur hances yn ei llaw a'i thynnu hi ato
drachefn.

"Cria di, nghariad i. Rydw i yma efo ti."

O dipyn i beth llonyddodd yr igiadau gwyllt a phwysodd Mererid yn llonydd ar ei ysgwydd. Teimlai fel cragen wag a phob teimlad, hyd at y diferyn olaf, wedi'i dywallt ohoni. Ond gwagedd adeiladol oedd o rywsut. Dechreuad newydd, a'r gwrthryfela a'r atgasedd cudd yn erbyn yr hyn a ddigwyddasai iddi wedi'i ddiysbyddu'n llwyr, wedi'i olchi o'i chyfan-soddiad gyda'r dagrau.

Trodd Tudur ei hwyneb tuag ato.

"Fedri di siarad amdano rŵan?"

Gwenodd Mererid yn wannaidd arno a nodiodd. Sythodd i syllu ar y gerddi ac i geisio ei phwyso a mesur ei hunan fel llyfr ar agor.

"Gweld y graith ar wyneb yr Arglwyddes wnes i," meddai o'r diwedd. "Roeddwn i wedi rhoi fy holl obeithion ar ei gweld gyda wyneb glanwaith, heb frycheuyn arno, a rywsut," synfyfyriodd am ychydig, "roeddwn i'n credu os buasai *hi* heb frycheuyn, y buaswn innau hefyd."

Trodd at Tudur.

"Wyddost ti, dyma'r funud gyntaf imi fedru derbyn y graith 'ma ar fy wyneb i. Rydw i wedi cau fy llygaid fel plentyn bach a gobeithio yr aiff hi i ffwrdd ers pan ddes i i'r Hafod. Ond wnaiff hi ddim, yn na wnaiff?"

Rhedodd Tudur ei fys yn ysgafn ar hyd ei chraith.

"Mae hi'n rhan ohonot ti, Mererid, yn union 'run fath â'r trwyn smwt 'na, neu dy wallt a'th lygaid. Maen nhw i gyd mor annwyl â'i gilydd, y ti ydyn nhw. Dydw i ddim wedi arfer dweud petha' cariadus, ond rwyt ti'n gwybod beth ydw i'n 'i feddwl, yn dwyt?''

Cododd.

''Tyrd inni fynd yn ôl at Mr Lewis. Mae o'n siŵr o fod yn boenus amdanat.''

Cerddodd y ddau law yn llaw am y drws ac i mewn i'r neuadd. Cychwynnodd Tudur am y grisiau, ond petrusodd Mererid am ennyd cyn penderfynu'n sydyn.

''Na, tyrd efo mi i weld Arglwyddes y Plas eto, Tudur,'' meddai. ''Tyrd imi edrych arno'n iawn ac adnabod fy hunan fel yr ydw i o ddifri.''

Safodd Mererid am eiliadau hir o flaen y darlun. Dyna ryfedd, yntê! Medrai edrych arno a gwerthfawrogi cyffyrddiadau sicr yr arlunydd ar bob modfedd ohono, hyd yn oed y graith ar wyneb yr Arglwyddes. Trodd i wenu ar Tudur.

''Rydw i'n fodlon o'r diwedd. Mi awn ni i'r atig at Mr Lewis. Mae gen i le i ddiolch iddo, on'd oes? Trwy ei ddarlun o yr ydw i wedi gwella'n llwyr.''

Symudodd ei hysgwyddau fel pe buasai'n gollwng baich.

''Teimlad braf ydi o hefyd, cofia.''

Dringodd y ddau i fyny'r grisiau llydan hanner tro hyd at yr oriel ac i fyny'r grisiau cul i'r atig. Cipedrychodd Merfyn Lewis ar Mererid fel yr agorodd Tudur y drws. Oedd, roedd heulwen ar fryn unwaith eto a rhyw fodlonrwydd newydd yn ei llygaid.

Tywalltodd ddŵr i'r tebot.

''Cwpanau o'r cwpwrdd yna, os gwelwch yn dda,

110

Mererid,'' meddai, ''a'r tun bisgedi 'na, Tudur. Taff, wyt ti isio bisged, ngwas i? Wrth gwrs dy fod ti, does angen imi ofyn, yn nac oes?''

''Mi fuon ni'n ôl i edrych ar yr Arglwyddes,'' dechreuodd Mererid. ''Mae'n ddrwg gen i imi redeg oddi yna. Gweld y graith . . .''

Pwysodd Merfyn Lewis law garedig ar ei hysgwydd.

''Mererid bach,'' meddai'n bendant, ''does dim angen eglurhad rhwng ffrindiau, yn nac oes? Digon fod y storm drosodd bellach. Ond cofiwch, beth bynnag a ddywed Sioned a'i bath, nid y plisgyn sy'n bwysig, ond yr hyn sydd o'i mewn. A mae Tudur wedi darganfod hynny, mi wn.''

Chwarddodd yn sydyn.

''Rydw i'n swnio'n bregethwrol reit on'd ydw i, a hynny mor groes i'm natur hefyd! Hwda, Taff, bisged arall.''

Aeth awr heibio mewn ymgom gyfeillgar, gartrefol cyn i Tudur edrych ar ei wats.

''Mae'n well inni fynd, Mererid,'' meddai. ''Mae bron yn bump o'r gloch.''

''Ydi wir,'' ategodd Merfyn Lewis. ''Ac yn ôl y sŵn, mae'r gweithwyr 'ma'n rhoi ffidil yn y to'n barod. Mi gaf inna' ychydig o dawelwch wedi iddyn nhw fynd.''

Syllodd trwy'r ffenestr.

''Dyna yr hyn a'm denodd i'r hen blas annwyl 'ma,'' meddai. ''Tawelwch gogoneddus ei erddi a chwrlid grug y rhos. Dyna brif ddymuniad arlunydd, ychi. Tawelwch natur o'i amgylch.''

Dylyfodd ên yn sydyn.

"Peth od ydi o, ond wedi gweithio ar ddarlun fel hyn mae rhyw ollyngdod mawr yn dod trosof a chwsg trwm i'w ddilyn. Fy holl ynni wedi'i ddiysbyddu yn yr ymgais, am wn i. Mi ro i fy mhen i lawr am awr neu ddwy wedi ichi fynd. Ond cyn hynny, rhaid imi nôl yr Arglwyddes i'r atig. Dyna fy arferiad i, syllu ar y cynfas gorffenedig cyn cysgu. Ond dowch yma yfory, eich dau. Mi fydda i'n falch iawn o'ch gweld. A'ch ffrindiau hefyd. Rhaid iddynt hwythau weld Arglwyddes y Plas yn ei gogoniant, yn bydd, Mererid?''

Gwenodd Mererid.

"O'r gorau, Mr Lewis,'' meddai, "a diolch.''

"Diolch?''

"Ie, am Arglwyddes y Plas a'r cymorth fu hi i mi.''

Camodd ymlaen a chyrhaeddodd i roi cusan swil ar ei foch.

"Diolch, Mr Lewis.''

Gafaelodd Merfyn Lewis amdani a'i gwasgu ato am eiliad.

"Hei! hei! Paid ti â rhannu cusanau'n rhy hael, mechan i. Mae yna olwg reit beryg yn llygaid Tudur 'ma. Rydyn ni wedi bod yn gymorth i'n gilydd, Mererid fach. Dowch, mi ddo i efo chi i lawr i'r neuadd.''

A chyn i'r ddau groesi'r rhos, roedd Merfyn Lewis wedi cludo 'Arglwyddes y Plas' i fyny i'r atig a'i gosod i bwyso ar y mur. Syllodd arni am funudau hir cyn syrthio'n fodlon i gwsg trwm.

Ar y llawr oddi tano symudodd y gweithwyr eu celfi o'r neilltu a pharatoi i ymadael.

"Wyt ti'n barod, Jac? Ble mae'r lli fechan honno a'r morthwyl mawr?"

"Yn y fen ers meityn, was."

Taflodd Jac ei sigarét; gafaelodd yn ei fag twls a chydag un cipolwg ar y naddion coed a'r hoelion a orchuddiai'r llawr ar ôl gwaith y dydd, gadawodd y cwbl a brysiodd i ymuno â'i gydweithwyr yn y fen. Nid edrychodd eilwaith i'r fan y taflodd y stwmpyn, ac ni welodd fygwth y mwg araf, main a gododd o'r gornel. Llosgai'r sigarét yn dawel ynghanol y naddion.

———————

Fe arhosodd Sioned yn guddiedig wrth wal yr ardd am beth amser wedi i'r gweithwyr ymadael. Difetha'r Arglwyddes, dyna'i hunig ddymuniad. Talu'n ôl i Mererid, a Tudur, a Merfyn Lewis. Gofalu bod oriau o'u gwaith yn ofer, a hithau, Sioned Ellis, wedi dial arnyn nhw'n effeithiol.

Cododd yn wyliadwrus o'i chuddfan a chamodd trwy'r bwlch i'r ardd. Cymer dy amser, Sioned. Amser i sawru dy ddial a'i fwynhau i'r eithaf. Nid oes brys.

Wedi dod yn ôl i ymddiheuro iddo fo yr wyt ti, yntê? Dweud 'sori' wrth ei fawrhydi Merfyn Lewis am frifo teimladau ei fabi clwt o. Hy!

Cyrhaeddodd y drws mawr derw. Gafaelodd yn y ddolen wichlyd a'i throi, o mor araf, ar agor. Camodd i'r neuadd a chrychodd ei thrwyn wrth glywed yr arogl llosgi ysbwriel a dreiddiai iddi o rywle. O'r ardd, efallai. Anghofiodd yr arogl a mentrodd ymlaen am yr ystafell fawr. Agorodd y drws yn araf eto â'r wên ffug yn barod i'w defnyddio. Oedd Merfyn Lewis yno?

Diflannodd y wên wrth iddi ganfod yr ystafell yn wag a phrysurodd y gwaed yn ei gwythiennau. Rŵan am y cynfas a dinistr Arglwyddes y Plas.

Trodd at yr isl a safodd yn fud. Ymhle roedd y darlun? Llifodd llid i'w mynwes. Doedd o ddim yno. Edrychodd yn wyllt o gwmpas yr ystafell. Isl, paent—popeth ond y peth pwysicaf un, y cynfas. Rhoes gic sydyn i ddymchwel yr isl yn ei thymer. Sssh! rhaid iti fod yn ddistaw.

Cysidrodd. I fyny'r grisiau yr oedd o. Merfyn Lewis wedi'i gludo i fyny i oriel y cerddorion, neu i un o'r ystafelloedd a agorai ohoni. Ia, dyna oedd yr ateb.

Daeth yn ôl i'r neuadd a chychwynnodd i fyny'r grisiau yn araf gan bwyso'i throed yn ysgafn, ysgafn ar bob gris. Ych! roedd yr arogl llosgi sbwriel yn gryf yma. Arogl llosgi coed a naddion yn llenwi'r neuadd. Yn treiddio i mewn trwy ffenestr agored, mae'n siŵr. Ie, fe glywai hi glecian y fflamau hefyd.

Safodd yn sydyn a gwenodd yn foddhaus. Dyna fyddai'r ateb! Bron na chwarddodd yn uchel. Gogoneddus! Gogoneddus o syniad! Fyddai *dim* ohoni ar ôl wedyn. Fe lyncai'r fflamau y cyfan. Ar goll fyddai Arglwyddes y Plas, a neb ohonyn nhw'n gwybod ymhle i chwilio. Dyna glyfar oedd hi, yntê!

Cyrhaeddodd yr oriel a syllodd ar y rhes o ddrysau caeëdig a agorai ohoni. Pa un ohonynt a guddiai drysor Merfyn Lewis? Mi fydda i'n siŵr o gael hyd iddo, mewn ystafell neu atig. Atig? Na, doedd hi ddim isio mynd i'r atig rhag ofn fod Merfyn Lewis yno. Chwilio yma fyddai orau.

Aeth o ddrws i ddrws gan agor pob un yn ddistaw a chipedrych trwy'r cil, cyn mentro i'r ystafell tu mewn. Gorweddai olion gwaith ymhob un, sbwriel y gweithwyr ar lawr, mân goediach, llwch plastr a gasglwyd i'r corneli, potiau paent a meinciau i sefyll arnynt. Archwiliodd bob ystafell yn ofalus. *Dim.*

Cynyddodd ei siom a'i hawydd i falurio rhywbeth i fynegi'i thymer ddrwg. Roedd yn *rhaid* iddi ddarganfod y cynfas. Fe ddisgwyliai'r fflamau yn yr ardd amdano. Talu'r pwyth yn ôl i Merfyn Lewis a Mererid fel ei gilydd a'u dysgu i gymryd pwyll wrth ymdrin â Sioned Ellis.

Dychwelodd i'r oriel. Doedd ond yr atig amdani rŵan. Petrusodd, a'i meddwl yn gwibio yma ac acw.

"Mae'n ddrwg gen i, Mr Lewis. Wnes i ddim cysidro y buaswn i'n brifo Mererid. Wnewch chi faddau imi?"

Dyna fyddai'i hesgus pe digwyddai i Merfyn Lewis fod yn yr atig. Drwg ganddi am un o'i geiriau? Nac oedd, yn neno'r tad. Roedd hi wedi mwynhau yngan pob un ohonyn nhw.

Pesychodd yn sydyn. Ych! yr hen fwg yna eto. Edrychodd o'i hamgylch. Roedd o'n drwchus yma hefyd. Ond dyna fo, diolch bod y goelcerth ysbwriel yn dal i gynnau, yntê! Disgwyl am yr Arglwyddes i'w llosgi'n ulw a hithau'n dawnsio fel gwrach wrth allor, o gwmpas y fflamau.

Camodd ymlaen at y drws cuddiedig a arweiniai i'r atig. Cynyddodd y mwg yn ddisymwth a daeth sŵn clecian fflamau, arswydus o ffyrnig, o gyfeiriad y neuadd. Am y tro cyntaf, daeth amheuaeth i'w meddwl. Ymhle roedd y tân? Yr ardd? Saethodd arswyd trwyddi— *Y plas?*

Bu bron iddi â llewygu pan sylweddolodd y gwir. Llifodd cryndod ofnadwy i'w choesau a safodd â'i thraed ynghlwm wrth lawr yr oriel. O Mam! TÂN! Gwrthrych pob hunllef a gefais i'n blentyn. Y breuddwydion ofnadwy hynny pan oeddwn i'n llosgi a mygu, mygu a llosgi fel y merthyron y darllenais amdanynt mewn llyfr ysgol. Ond fe wyddwn i newyn y fflamau cyn darllen y llyfr. Byd hunllef oedd o imi bob nos. Ond dyma fo o ddifrif.

O! Mam. Tân! Sut na sylweddolais i ynghynt? Fedra i ddim symud oddi yma. *Tân!*

Safodd yno'n sigledig a'i meddwl yn ymladd i reoli ei chorff llipa. Dianc, rhaid imi ddianc. Llanwyd hi â braw, braw a rewodd bob symudiad cyn iddi eu cyflawni.

O'r diwedd ymladdodd ei ffordd rywsut hyd at ben y grisiau. Ymgripiai fflamau sicr o'r ystafell lle bu'r gweithwyr a byrlymai mwg ohoni'n gymylau trwchus i'w chyfarfod.

Hyd yn hyn, roedd y grisiau yn berffaith glir, ond er i'w meddwl orchymyn iddi redeg, rhedeg i lawr y grisiau ac allan i ddiogelwch yr ardd, ni fedrai symud cam. Parlyswyd ei chorff gan hunllef ofn.

Byrlymai'r mwg yn llosgfa i'w hysgyfaint a chlywai ruo'r fflamau'n codi yn ei chlustiau. *Tân! Tân!* Dianc! Baglodd i un o'r ystafelloedd a chaeodd y drws ar yr olygfa arswydus. Braw! Roedd o ym mêr ei hesgyrn, yn ei rhwystro rhag meddwl am ddim ond dianc o olwg y fflamau, i ymguddio rhagddynt fel anifail direswm.

Gollyngodd ei choesau hi a suddodd yn swpyn crynedig i'r llawr. Ni allai symud nac yngan gair, dim ond cuddio'i hwyneb yn ei dwylo a griddfan iddi'i hun.

Cerddodd Mererid a Tudur law yn llaw ar hyd llwybr y rhos. Nid oedd y naill na'r llall am gyflymu eu cerddediad. I beth, a'r munudau yma mor felys, mor llawn o obeithion am y dyfodol? Ni feddyliai'r un o'r ddau am y gwahanu a ddeuai gyda dechreuad tymor ysgol unwaith eto. Rhywbeth a oedd ymhell yn y dyfodol oedd o, ac yn y cyfamser roedd y byd yn fêl i gyd.

———————

"Ma' swper yn barod eich dau," galwodd Nel Rowlands o'r gegin wedi iddynt gyrraedd yr Hafod. "Mae Wncl Les wedi picio i lawr i'r pentre. Isio petrol yn y Land Rover, medda fo, a llathen o sgwrs tua'r siop yna, mi wranta."

Cerddodd trwodd i'r lobi.

"Wel, wnaeth Mr Lewis orffen y darlun heddiw? Mae o'n werth 'i weld mae'n siŵr a fynta'n arlunydd mor enwog. Beth mae o am 'i wneud efo'r darlun, Mererid? Ei arddangos debyg?"

"Wn i ddim, Modryb Nel." Ysgydwodd Mererid ei phen. "Wnes i ddim meddwl am ofyn, wnest ti, Tudur?"

"Naddo," atebodd Tudur, "ond rydw i'n cofio iddo sôn beth amser yn ôl am ei roi i fyny ar fur yr ystafell fawr yn y plas."

Ochneidiodd Mererid yn falch.

"Dyna'r union beth fuaswn i'n 'i ddymuno. Mi fuaswn i'n teimlo bod rhan fach ohona i ar ôl yn yr hen blasty wedyn."

Trodd at ei modryb.

"Mae'n well imi fynd i molchi cyn i Wncl Les ddod yn ôl. Eistedd, Tudur, fydda i ddim yn hir."

Dringodd i'r llofft. O! roedd hi'n hapus. Safodd o flaen y drych a syllu iddo.

"Wel, Mererid Rees," cyfarchodd ei hunan ynddo, "fydda i byth yn ofni dy wynebu di eto. Dyma ti â'r hen graith 'na ar dy wyneb. A wyddost ti be? Dydi o fymryn o ots gen i chwaith. Llynca di hwnna os y medri di!"

Plethodd ei breichiau a gwenodd.

"Rydw i wedi darganfod yr asgwrn cefn hwnnw yr oedd Wncl Les yn sôn amdano."

Croesodd at y ffenestr. Edrychodd allan i'r rhos ac ymhellach at yr hen blasty ar y gorwel. Mor annwyl oedd y ddau iddi. Roedd hi'n teimlo fel pe byddai'n adnabod pob modfedd o'r ddau fel ei gilydd bellach. Syllodd i'r pellter yn freuddwydiol. O! mor hapus oedd hi yma yn yr Hafod, mor hapus ar y rhos, ac yn fwy na dim, mor hapus yng nghwmni Tudur.

Cofiodd yn sydyn am ei rhieni a daeth ton o euog-rwydd trosti. Wnaeth hi feddwl fawr amdanyn nhw yn ystod yr wythnosau diwethaf. Wedi ymgolli yn ei phroblemau a'i phleserau ei hunan, gan anghofio am eu pryder hwy.

"Mi a i i ffonio Mam rŵan," meddyliodd yn sydyn, "mae gen i ddigon o amser cyn swper."

Trodd oddi wrth y ffenestr i droi yr un mor sydyn

118

yn ôl drachefn. Y plas? Beth oedd yr arlliw coch a welai yn un o'r ffenestri? Yr haul ar y gwydr wrth gwrs. Trodd yn ôl i'r ystafell drachefn. Ymolchi gyntaf fuasai orau iddi.

Ni wyddai yn union beth a wnaeth iddi ailedrych ar yr hen blas. Rhyw anniddigrwydd yn pigo tu ôl i'w meddwl. Craffodd arno eto. Ie, haul fflamgoch gyda'r nos oedd ar ei ffenestr. Ymlaciodd eilwaith. *Tân!* Rhewodd ei chymalau. Oedd, roedd llinell o fwg du yn ymledu'n araf uwch y to. Fel y syllai arno'n frawychus cynyddodd yn gwmwl trwchus a fyrlymai'n uwch ac yn uwch i'r glesni hwyrol uwchben. Rhedodd yn wyllt am ben y grisiau.

"Modryb Nel! Tudur! O! brysiwch, ma'r plas ar dân."

"Nefoedd fawr, hogan," meddai Nel Rowlands mewn dychryn gan redeg wrth sodlau Tudur i fyny'r grisiau.

Roedd un cipolwg yn ddigon i'r ddau.

"Mi ffonia i am y frigad dân," meddai Nel Rowlands gan droi'n ôl am y pen grisiau ar ras wyllt. "O diar, ble ma' dy Wncl Les iddo fo gael gwneud rhywbeth?"

"Beth am Mr Lewis?" gofynnodd Mererid yn ofnus. "Roedd o'n mynd i gysgu yn yr atig. O, Tudur, ydi o'n saff?"

"Rhedwch yno, eich dau," gorchmynnodd Nel Rowlands gan gythru am y ffôn. "Rydych chi'n gynt ar eich traed na fi. Ond cymerwch ofal, da chi."

Cododd y derbynnydd a deialodd yn frysiog.

"999? Y frigâd dân, os gwelwch yn dda. Ia, tân ym

mhlasdy Plas Goronwy. Wedi cael gafael dda yn ôl ei olwg.''

Trawodd y derbynnydd yn ôl yn frysiog a'i chychwyn hi ar ôl Tudur a Mererid. O! ble roedd Les na fuasai wedi cyrraedd adref cyn hyn. Yn y garej yn hel straeon wrth gwrs. Dratia'r dyn! Trodd yn ôl eto a deialu rhif y garej. O drat las, rhywun ar y ffôn. Y siop efallai? Deialodd eto.

Brrr! Brrr! Pam nad oedd rhywun yn ateb?

''Hylo, Elin. Nel Rowlands sy' 'ma. Ma'r plas ar dân. Ydi Les yna? O! dywed wrtho am frysio yna ar unwaith.''

Trawodd y derbynnydd yn ôl yn wyllt eto a rhedodd am y rhos drachefn.

———————

''Mr Lewis! Mr Lewis!'' galwodd Mererid fel y cyr-haeddodd hi a Tudur i'r ardd. ''Mr Lewis!'' galwodd drachefn.

''Waeth iti heb,'' gwaeddodd Tudur uwch clecian y fflamau. ''Mi fuasai yma yn yr ardd pe bai o wedi dianc.''

Rhedodd y ddau ymlaen. Llanwyd eu clustiau gan ruo ffyrnig y fflamau fel yr agorodd Tudur ddrws mawr y neuadd.

''Rhaid ei gau ar ein hôl,'' gwaeddodd Tudur.

Gwelsant yr ystafell lle bu'r gweithwyr yn ulw o dân. Llosgwyd coed y llawr yn barod a rhedai'r fflamau i fyny'r paneli derw cerfiedig. Rhedodd Tudur i gau'r drws ar y goelcerth a chychwynnodd y ddau ar ras i fyny'r grisiau.

Treiddiai mwg i fyny o'u blaen a deuai ambell i

fflam fechan i gyffwrdd â llawr yr oriel o'r ystafell oddi tano. Brysiodd y ddau am y drws a arweiniai i'r grisiau cul at yr atig. Yn sydyn daeth clec anferth a ffrwydrodd y fflamau'n ffyrnig tuag atynt.

"Silindr nwy ar ôl y gweithwyr," galwodd Tudur. "Does dim amser i'w golli. Dos yn ôl, Mererid. Mi a i i fyny i'r atig. *Dos!*"

Ysgydwodd Mererid ei phen yn wyllt ac amneidio arno i fynd ymlaen.

"Rydw i'n dod efo ti," gwaeddodd yn ôl.

Gafaelodd Tudur ynddi a rhedodd y ddau law yn llaw at y drws i ddringo'n wyllt i'r atig a thaflu'u hunain trwy'r drws i'r stiwdio. Gorweddai Merfyn Lewis ar y sach gysgu.

"Mr Lewis! Deffrwch, o deffrwch!" galwodd Mererid gan ysgwyd ei fraich yn wyllt.

"Dim iws," gwaeddodd Tudur, "mae effaith y mwg arno fo. Gafael yn ei goesau fo."

Ymaflodd o dan ei geseiliau a symud at y drws gan hanner tynnu, hanner cludo'r corff diymadferth. Cynorthwyodd Mererid ef orau y gallai ar y grisiau cul. Llosgai'r mwg yn fygni tesol i'w hysgyfaint a llifai'r dagrau i lawr ei hwyneb.

Erbyn hyn roedd llawr yr oriel wedi'i orchuddio gan fân fflamau ond nid oedd y coed wedi cydio o ddifri eto.

"Un hwb bach eto," gwaeddodd Tudur wedi cyrraedd pen y grisiau.

Baglodd yn sydyn a rowliodd ef a chorff llipa Merfyn Lewis yn blith draphlith i lawr y grisiau i orwedd yn sypiau diymadferth ar lawr y neuadd. Rhedodd Mererid i lawr atynt.

"O, Tudur, wyt ti'n iawn?"

"Ydw." Safodd Tudur yn sigledig ar ei draed. "Agor y drws. Brysia!" gwaeddodd.

Ymaflodd yn Merfyn Lewis a'i dynnu am y drws agored.

"Cau o ar dy ôl."

Cychwynnodd Mererid ufuddhau. Petrusodd. Beth oedd y sŵn yna uwch rhuo'r fflamau? Cyfarthiad Taff? Teimlodd ofn yn gwasgu am ei chalon. Mam bach, roedd o wedi'u dilyn nhw i'r atig a heb ddod i lawr.

"Tudur, ma' Taff ar ôl."

Edrychodd Tudur arni'n hurt.

"Taff? Aros, Mererid. Paid â throi'n ôl. Mi a i i chwilio amdano fo. Rhaid tynnu Mr Lewis i ddiogelwch gynta. *Mererid!*"

"Rhaid achub Taff," gwaeddodd Mererid.

Diflannodd yn ôl i'r mwg a'r tân drachefn. Tynnodd Tudur gorff Merfyn Lewis cyn belled ag y medrai oddi wrth y tŷ yn union fel y cyrhaeddodd Nel Rowlands â'i gwynt yn ei dwrn.

"Gwyliwch Mr Lewis. Ma' Mererid a Taff ar ôl," gwaeddodd Tudur cyn rhuthro'n ôl i'r fflamau. *"Mererid?"*

Nid oedd ateb, dim ond rhu'r fflamau ar y grisiau a'r oriel.

"Mererid!"

Meddyliodd iddo glywed ateb o'r oriel uwchben. Ymladdodd ei ffordd i fyny'r grisiau. Teimlai boethder y fflamau ar ei wyneb a'u llyfiad wrth ei sodlau fel yr ymlwybrai trwy'r mwg a'r gwres. Cyrhaeddodd ben y grisiau i ganfod Mererid a Taff wrth ddrws un o'r ystafelloedd. Rhedodd atynt.

"Ddaw o ddim oddi yma," wylodd Mererid. "Mae o'n cyfarth a chau symud wrth y drws yma."

"Tyrd â fo i mi," gwaeddodd Tudur gan ymaflyd yn ei goler. Edrychodd yn ddiobaith i gyfeiriad y grisiau. "Fedrwn ni ddim mynd i lawr y grisiau eto. Tyrd, Taff, am yr atig."

Crafangiodd Taff yn erbyn y drws yn wyllt a chyfarthodd eto. Meddyliodd Mererid iddi glywed rhyw sŵn o'r ystafell tu mewn. Agorodd y drws.

"Tyrd, Mererid, does dim cymorth yna. Mae'n rhy agos i'r fflamau," gwaeddodd Tudur gan geisio ymaflyd ynddi hi a Taff. *"Tyrd."*

Safodd yn sydyn wrth weld y swpyn crynedig ar lawr yr ystafell. Beth ar y ddaear? *Sioned?* Beth oedd hi'n 'i wneud yma? Ond doedd dim amser i ddyfalu a'r fflamau wrth eu sodlau.

"Gafael yng ngholer Taff," gwaeddodd gan ruthro ymlaen at Sioned. *"Sioned!"*

Ni chymerodd unrhyw sylw ohono dim ond griddfan yn isel rhwng ei dwylo. Gafaelodd Tudur ynddi a cheisio ei chodi ar ei thraed.

"Sioned! Tyrd yn dy flaen. Dydi hi ddim yn saff yma. Rhaid inni ddringo i'r atig."

Tynnodd ei dwylo o'i hwyneb a'i gorfodi i wrando arno.

"Wyt ti'n deall? I'r atig. Dyna'n hunig obaith ni."

Cipiodd Sioned ei dwylo'n ôl a chuddiodd ei hwyneb drachefn.

"Na, na, nid i'r atig. Mae *hi*'n disgwyl amdana i yno. Na, Na-aaa!"

Syrthiodd yn swpyn i'r llawr drachefn. Gwylltiodd Tudur. Gafaelodd ynddi a'i hysgwyd yn wyllt.

"Cod ar dy draed," gwaeddodd. *"Cod.* Be' felltith sy arnat ti? Dwyt ti ddim wedi brifo."

Ymaflodd ynddi a chododd hi ar ei thraed eto. Llusgodd hi fel sachaid o geirch am y drws.

"Gafael ynddi efo mi, Mererid. Tyrd, Taff."

Gwthiodd Mererid ac yntau Sioned o'u blaen i fyny'r grisiau cul a Taff wrth eu sodlau. Nid mater hawdd oedd ei hebrwng chwaith. Methai Tudur a Mererid yn lân â deall y peth. Roedd fel pe buasai arni ofn mynd i'r atig, yn well ganddi wynebu'r fflamau na wynebu yr hyn a ofnai yn yr atig.

Caeodd Tudur ddrws yr atig rhag y fflamau sicr a ymgripiai o'r tu ôl iddynt, a suddodd y ddau i'r llawr mewn storm o beswch.

"Wna i ddim aros yma. Ma' hi'n edrych arna i."

Dechreuodd Sioned feichio crio'n uchel a gwnaeth ymdrech benderfynol i ddianc yn ôl i'r oriel. Rhuthrodd Tudur ar ei hôl. Gafaelodd ynddi a'i throi i'w wynebu a rhoes glusten iddi ar draws ei hwyneb.

"Wnei di gau dy geg ac aros yn llonydd. Mae'n ddigon dyrys arnom ni heb i ti fynd trwy dy 'antics'. Dowch at y ffenestr eich dwy."

Edrychodd Nel Rowlands i fyny i weld wynebau'r tri yn y ffenestr uchel uwchben, ac i glywed clecian y fflamau'n fur sicr rhyngddynt a diogelwch. Syllodd i fyny eilwaith. Tri? Gallai gymryd ei llw iddi weld tri wyneb. Ond eiddo pwy oedd y trydydd?

Hyrddiodd Les Rowlands ei Land Rover ar hyd y ffordd garegog a'i droed yn drwm ar y throtl.

"Duwcs, dal arni ychydig, Les," gwaeddodd Jim Huws, y garej, o'i sedd wrth ei ochr. "Mi fyddwn ni trosodd os na fyddi di'n ofalus."

Sbonciodd y Land Rover tros garreg arall a gwasgodd Jim Huws ar ei ddannedd a gafael fel gelen yn ei sedd.

"Meddwl am Mr Lewis ydw i," gwaeddodd Les Rowlands uwch sŵn y peiriant. "Ydi o'n saff?"

Daeth y plas i'r amlwg wedi iddynt gyrraedd i ben yr allt a chwibanodd Jim Huws rhwng ei ddannedd wrth weld maint y fflamau.

"Nefi, edrych arno fo mewn difri. Ma'r lle yn wenfflam."

Sgrialodd y Land Rover i'w unfan ar y llwybr graean o flaen y plas a neidiodd y ddau ohono.

"Les, Les, maen nhw yn y tŷ. O! be' wnawn ni, Les bach?"

Gafaelodd Les Rowlands yn ei wraig.

"Ara deg, Nel bach. *Pwy* sydd yn y tŷ?"

"Mererid a Tudur, a Taff hefyd. A rhywun arall, wn i ddim pwy. Roedd tri wyneb yn ffenestr yr atig ychydig yn ôl. O'r nefoedd fawr, be' ddaw iddyn nhw?"

Gafaelodd yn dynn ym mraich ei gŵr a llifodd y dagrau'n hidl i lawr ei hwyneb.

"Y pethau bach! Wedi achub Merfyn Lewis a mynd yn ôl i'r fflamau am Taff. O! mam bach, ma' hi ar ben arnyn nhw."

"Wyt ti wedi ffonio'r frigâd dân?"

"Do, ond mae milltiroedd iddi ddod yma. Rhy hwyr fydd hi."

Plethodd ei dwylo'n wyllt a syllu i fyny trwy'i dagrau i gyfeiriad y ffenestr fechan uwchben.

"Aros di yma," gorchmynnodd Les Rowlands. "Wyt ti efo mi, Jim? Rhaid mentro atyn nhw rywsut."

"Ydw, siŵr."

Tynnodd y ddau eu cotiau a'u gwlychu'n frysiog mewn tanc dŵr a osodwyd i'r gweithwyr yn yr ardd.

"Dal hi wrth dy wyneb, Jim," gwaeddodd Les Rowlands cyn plannu ar ei ben i'r mwg a'r tân yn y neuadd.

Wynebwyd hwy gan fur o dân. Roedd muriau a nenfwd, grisiau a llawr coed wedi diflannu o dan gerddediad sicr y fflamau ac nid oedd gobaith yn y byd iddyn nhw gyrraedd yr oriel uwchben. Baglodd y ddau allan.

"Oes ffordd arall i fyny yna?" gwaeddodd Jim Huws. "Ysgol?"

Ond nid oedd unrhyw offer cymwys yn yr ardd a syllodd y ddau i fyny a'u methiant bron â'u gorlethu. I sefyll yma a gwneud dim! Ble gebyst oedd y frigâd dân? Munudau prin eto ac mi fyddai'n rhy hwyr.

Gwibiodd posibiliadau trwy feddwl Les Rowlands. Mynediad trwy asgell arall i'r plas. Na, roedd y fflamau'n rhy ffyrnig ar yr ail lawr erbyn hyn. Roedd y fynedfa honno wedi'i chau. Ond beth am y balconi 'na uwch ffenestr yr atig? Pe buasai'r plant yn medru dringo allan arno fo, fe roddai loches am ychydig funudau ychwanegol. Ond sut i adael iddyn nhw wybod? Ble roedden nhw? Nid oedd wyneb yn agos i'r ffenestr.

"Dowch at y ffenestr," gweddïodd Les Rowlands. "Brysiwch, o brysiwch."

Fel petai'n ateb i'w weddi, ymddangosodd wyneb Tudur yno ac agorodd y ffenestr. Amneidiodd Les Rowlands â'i fraich at y balconi uwchben.

"I fyny," gwaeddodd ef a Jim Huws gyda'i gilydd. *"I fyny!"*

Oedd o wedi deall? Do, diolch byth. Wedi edrych i fyny at y balconi, diflannodd Tudur yn ôl i'r atig.

Syllodd y tri yn yr ardd i fyny i gyfeiriad y ffenestr. Oedd modd iddyn nhw lwyddo?

"O, Les, fedra i ddim edrych," wylodd Nel Rowlands, ond er hynny safai â'i llygaid ynghlwm wrth y ffenestr.

Gwibiodd llygaid Tudur o amgylch y stiwdio. Beth oedd yna ymysg y celfi prin i'w cynorthwyo allan ar y balconi ac i atal y mwg a'r fflamau am ychydig? Sach gysgu? Ie. Rhedodd ato. Tynnodd y gynfasen gotwm oedd ynddo a gwthiodd hi o dan y drws i leihau tipyn ar y mwg. Gwibiodd ei feddwl eto. Roedd yn rhaid iddynt symud yn fuan. Roedd cerddediad y fflamau'n rhy gyflym, ac fe fyddai'r mwg yn ormod iddyn nhw.

Ond beth am Sioned? Eisteddai ar ei chwrcwd ar bwys y mur heb ddangos unrhyw fywyd ar wahân i'r griddfan isel, di-baid.

"Tyrd at y ffenestr, Mererid."

"Yli, mae'n rhaid inni ddringo allan ar y balconi 'na uwchben. Fedr dy ewythr na Jim Huws ddim cynorthwyo dim arnom ni. Rhaid inni wneud y cyfan ein hunain i ddisgwyl i'r frigâd dân ein hachub. Wyt ti'n barod?''

Cyn i Mererid ateb, daeth ffrwydrad sydyn o'r tu ôl iddynt. Trodd y ddau i ganfod y sach gysgu'n diflannu'n wenfflam a thafodau tân yn bwyta'r llawr o'i hamgylch. Yr un pryd daeth cloch y frigâd dân yn y pellter. Dim amser! Dim amser! Roedd yn rhaid iddyn nhw ddringo o'r ystafell.

Rhwygodd Tudur y gynfasen gotwm, eto ac eto, yn llinynnau hir. Clymodd hwy yn ei gilydd.

"Tynn yno fo i dynhau'r cwlwm," gwaeddodd.

Cynorthwyodd Mererid ef â dwylo crynedig. Teimlai boethder y fflamau o'i hamgylch, ar ei hwyneb, ei gwallt, yn llosgi i'w hysgyfaint.

Gafaelodd Tudur yn frwnt yn Sioned a'i chodi ar ei thraed. Tynnodd hi at y ffenestr.

"Hwda, cymer anadl o'r tu allan," gwaeddodd, "a bydd yn barod i ddringo allan pan ollynga i y rhaff.''

"Na, na fedra i ddim."

"Does gen ti ddim dewis. Allan neu losgi, wyt ti'n dallt? Yli, Mererid, clyma'r rhaff am ei chanol a'i hwthio hi allan gerfydd ei strepan os bydd angen. Rhywbeth er mwyn ei chael hi allan."

Clymodd y rhaff am ei ganol a rhoes y pen arall i Mererid.

"Clyma hi'n barod a chofia, allan â hi pan waedda i.''

Nodiodd Mererid. Dringodd Tudur ar sil y ffenestr a chan afael yn dynn yn y ffrâm, estynnodd yn araf am y relings haearn, rhydlyd uwchben. Cafodd afael saff. Wnaen nhw ddal ei bwysau?

Fe'i tynnodd ei hun i fyny. Oddi tano, caeodd Nel Rowlands ei llygaid a gweddïodd yn ddistaw. Gafaelodd yn dynn ym mraich ei gŵr. Ble, o ble roedd y frigâd dân?

Datododd Tudur y rhaff a chlymodd hi'n frysiog i'r relings.

"Rŵan Mererid, Sioned gynta," gwaeddodd.

Gwthiodd Mererid Sioned ar y ffenestr a cheisiodd ei pherswadio i ddringo ar y sil.

"Na, Na-aa!"

Cododd llais Sioned yn sgrech ac ymladdodd ei ffordd oddi wrth y ffenestr drachefn.

"Rhaid iti fynd, Sioned. Plîs, Sioned, dos."

Cynyddodd poethder y fflamau a'r mwg trwchus o'i hamgylch. Roedd y drws yn fur o dân a'r clecian di-baid yn boddi'i synhwyrau. Fe ddaeth y diwedd iddi hi a Sioned, i Taff druan ac i Arglwyddes y Plas hefyd. Syllodd ar yr wyneb tawel yn y darlun. Pam y dylai adael i Sioned ddifetha'r cyfan. Adnewyddodd ei nerth a gwnaeth un ymdrech arall.

"Dos am y ffenestr 'na neu mi a i hebddot ti."

"*Na-aaa!*"

Ymaflodd ynddi â'i holl egni, cododd hi ar sil y ffenestr a rhoes hwb sydyn iddi allan. Ond nid cyn i Sioned dynnu'n greulon yn ei gwallt mewn ymdrech i grafangio'n ôl drachefn. Tynnodd Tudur hi i'r balconi a'i thraed a'i dwylo'n gwrthryfela'n wyllt. Gwthiodd hi i'r gongl.

"Eistedd yna'n llonydd, wnei di!"

Gollyngodd y rhaff eto.

"Taff rŵan. *Brysia!*"

Cododd Mererid Taff, a'i goesau'n protestio'n

wyllt, ar sil y ffenestr a rhoes hwb iddo yntau allan. Crafangiodd ei goesau'n ofnus yn erbyn y wal fel y tynnodd Tudur ef i fyny. Wedi ei dynnu ar y balconi, datododd Tudur y rhaff eto a thaflodd hi'n ôl i lawr.

"*Mererid.*"

Gwelodd Mererid y rhaff yn disgwyl amdani ond roedd hithau wedi'i rhewi yn ei hunfan erbyn hyn.

"*Mererid!*"

Curodd ei chalon. Teimlai ei choesau'n rhoi a phopeth yn ddu o'i hamgylch. Fedrai hi ddim. Na, dim cam tu allan i'r ffenestr a hithau â chymaint o ofn dyfnder erioed.

Paid â bod yn ffŵl, Mererid Rees. Sioned Ellis arall wyt ti? Fe'i gorfododd ei hunan i afael yn y rhaff. Edrychodd allan. Parlyswyd ei chorff a'i meddwl yn rhuo dychrynllyd y fflamau. Roeddynt yn cyrraedd amdani, yn ein hamgylchynu, yn llosgi'r llawr hyd at Arglwyddes y Plas. Llosgi'r Arglwyddes?

Na, byth. Cyrhaeddodd am y darlun a dringodd gydag ef ar y sil. Gwasgodd ef ati a gollyngodd ei hunan i drugaredd y rhaff a dwylo cryfion Tudur uwchben. Teimlodd hwy'n ei thynnu i ddiogelwch. Cwympodd yn llipa ar y llwyfan uwchben, a'r funud honno, ffrwydrodd y ffenestr oddi tani yn goelcerth ulw.

Daeth sŵn clychau a lleisiau croch i'w chlustiau. Disgynnodd cawod o ddŵr oeraidd, pleserus trostynt i ryfela'n ffyrnig â'r fflamau oddi tanynt. Clywsant sŵn y trofwrdd, ac yn araf, o mor araf, dringodd ysgol hir tuag atynt ac ymddangosodd wyneb diffoddwr tân o'u blaen.

"Dowch imi'ch cael chi," gorchmynnodd. "Does dim amser i'w golli yn y fan yma."

"O! ia, ia," mwmiodd Sioned yn wirion. Crafangiodd yn frysiog tuag ato. "Ia, ia."

"Ara deg," rhybuddiodd y diffoddwr. "Does yna fawr o le ar y balconi yna."

Cododd hi'n swpyn ar ei ysgwydd a dringodd i lawr yr ysgol gyda hi. Cyn gynted ag y cyrhaeddodd i lawr, brysiodd diffoddwr arall i hebrwng Mererid, ris ar ôl gris, i ddiogelwch y llawr.

"Ngenath bach i," wylodd ei modryb.

Teimlodd freichiau'n cau amdani a'i chludo i'r ambiwlans.

"Na, na. Tudur a Taff!"

"Maen nhw'n saff, ngenath i."

Edrychodd i fyny i weld y diffoddwr tân yn disgyn eto gyda Taff yn ddiogel yn ei freichiau a Tudur gydag ef. Ymladdodd yn erbyn y blinder ofnadwy a'i gorlethai'n sydyn.

"Tudur!"

Clywodd ei lais wrth ei hochr a gafaelodd yn ddiolchgar yn ei law. Teimlodd ddwylo'n lapio'r blanced amdani.

"Taff!"

"Dyma fo, ngenath i, yn yr ambiwlans efo mi."

Clywai lais ei modryb a mwmial cyson Sioned. Teimlodd drwyn oeraidd Taff yn ymwthio o dan ei llaw. Mwythodd ef â'i llaw.

Disgynnodd i'r pydew a agorodd o'i blaen i nofio rhwng cwsg ac effro ar fôr tawel, diddiwedd fel y trodd yr ambiwlans am yr ysbyty.

Trwy niwl ei synhwyrau, teimlodd ei hunan yn cael

ei chodi a'i chludo i awyrgylch a gofiai'n dda, y diheintydd, y lleisiau isel a'r traed prysur.

Teimlodd bigiad y nodwydd a llithrodd y cyfan i wagle niwlog breuddwydion ynghyd â llais ei modryb o'r cysgodion.

"Na wir, Nyrs. Symudith o ddim o dan y gwely i neb. Mi ofala i na chrwydrith o."

Cysgodd.

———————

Noson o ofalaeth yn unig a dreuliodd Mererid a Sioned a Tudur yn yr ysbyty er i Merfyn Lewis dreulio deuddydd arall yno yn dioddef o effaith y mwg. Wedyn fe roes Nel Rowlands ei throed i lawr, a chyn iddo sylweddoli roedd yn trigo yn yr Hafod o dan ei gofalaeth.

"Twt lol," oedd ei geiriau. "I beth ewch chi'n ôl i'r hen blas a'r ogla mwg 'na a chroeso calon ichi yma efo ni? Rŵan, Mr Lewis, dim gair yn groes. I'r Hafod ydych chi'n dod. Ma' 'na wely'n barod a chroeso i aros faint fyd a fynnoch chi."

Ac i gyfaddef y gwir roedd Merfyn Lewis yn bur barod i fanteisio ar ei chynnig. Fe effeithiodd y profiad fwy arno nag a feddyliodd yn nhawelwch gwely'r ysbyty, ac ni ddymunai ddim gwell na'i osod ei hunan yn nwylo Nel Rowlands a bwyta a hepian cysgu trwy gydol y dydd.

Wrth lwc, yr asgell chwith o'r plas yn unig a ddifethwyd a theimlai Merfyn Lewis yn hynod o falch wrth feddwl na losgwyd yr hen blasty hoff i'r llawr.

Fe ddeallodd mai Mererid a achubodd Arglwyddes y Plas o ddannedd y fflamau ac ni allai ddiolch digon iddi, er iddo arswydo wrth feddwl am y ddihangfa gyfyng a gafodd Tudur a hithau.

A Sioned? Ni allai neb ddyfalu sut y daeth hi yno.

"Mae o'n ddirgelwch i mi beth oedd hi'n 'i wneud yno," sylwodd Nel Rowlands am yr ugeinfed tro. "Ond o adnabod yr eneth *yna,* dim byd da, mi wranta."

Nodiodd Merfyn Lewis yn synfyfyriol.

"Rydw i'n cydweld â chi, Mrs Rowlands," meddai. "Ond yn gam neu yn gymwys, rydw i'n credu mai anghofio'r peth fydd ora. Waeth inni heb ag aflonyddu ar ddŵr budr."

Daethpwyd â'r Arglwyddes i barlwr ffrynt yr Hafod a chafodd Mererid gyfle i'w hastudio'n ddistaw ar ei phen ei hun.

Gwelodd ferch ieuanc mewn ffrog laes ardderchog yn sefyll i'w hwynebu o'r cynfas. Llithrodd ei llygaid tros y cwbl i sefydlu ar yr wyneb. Oedd, roedd y graith yn berffaith glir arno, ond er iddi archwilio ei theimladau ni fedrai ddarganfod dim ond pleser yn y darlun.

Aeth allan i ymuno â Tudur ar fainc yn yr ardd. Gafaelodd yntau yn ei llaw.

"Welaist ti'r papurau newydd heddiw? Sôn am benawdau!"

Tynnodd "Y Cymro" o'i boced.

"Yli! *Tân yn y plas! Achub Merfyn Lewis, yr arlunydd enwog! Dychwelyd i achub ci! Dewrder tri o bobl ieuanc!*"

Edrychodd y ddau ar ei gilydd. Tri? Plygodd y ddau i ddarllen y stori.

"Dydd Mercher, bu tân brawychus ym mhlasty

Plas Goronwy heb fod nepell o Lanrwst. Prynwyd yr hen blasty hynafol hwn ychydig amser yn ôl gan yr arlunydd enwog Merfyn Lewis, ac yr oedd rhan helaeth ohono'n cael ei atgyweirio ar hyn o bryd. Fe ddechreuodd y tân mewn ystafell ar y llawr isaf, a thynnwyd yr arlunydd yn anymwybodol o'r goelcerth gan dri o bobl ieuanc yr ardal, Sioned Ellis, Mererid Rees a Tudur Jones, cyn i'r frigâd dân gyrraedd y fan. Dangosodd y tri hyn wroldeb anghyffredin wrth ddychwelyd i'r fflamau i achub ci a garcharwyd gan y tân. Carcharwyd hwythau yn eu tro, a bu'n rhaid iddynt ddringo ar y to gyda'r ci i ddianc rhag y fflamau. Trwy eu hymdrechion hwy hefyd yr achubwyd darlun diweddaraf Merfyn Lewis. Fe gyrhaeddodd y frigad dân mewn prin amser i'w hachub o le cyfyng iawn.

Mewn sgwrs â Sioned, ffrind pennaf Mererid, deallasom fod Mererid ar wella o effeithiau damwain foduro ychydig wythnosau'n ôl. Mae . . .''

Agorodd Mererid ei cheg ac edrych yn syn ar Tudur. Ffrind pennaf? Sioned? Nodiodd Tudur yn ddeallus arni.

''Pwy ond Sioned fyddai'n achub y blaen er mwyn cael y clod i gyd, yntê?''

Daeth ysfa chwerthin anorfod ar Mererid. Sioned? Pwysodd yn ôl ar ysgwydd Tudur a chwarddodd hyd nes i'r dagrau lifo i lawr ei hwyneb. Ymunodd Tudur yn y chwerthin ac wrth glywed y fath sŵn, cododd Taff o'i orffwysfa o dan y goeden rosynnau i weld achos yr helynt.

''Taff bach,'' meddai Mererid rhwng pyliau

chwerthin, "on'd ydi'n drueni na fuasen ni'n medru rhannu'r hwyl *yma* efo ti?"

———————